BARTÓK

THE SELECTED WORKS FOR PIANO

3

바르토크集

Rhapsodie 랩소디
Drei Volkslieder aus dem Komitat Csík 치크 지방의 3개의 민요
14 Bagatellen 14개의 바가텔
Seven Sketches 7개의 스케치
Trois Burlesques 3개의 부르레스크
Tanz–Suite 무용조곡
Neun kleine Klavierstücke 9개의 피아노 소품

Edited and Revised by

TAKASHI YAMAZAKI

Commented by

NOBUHIRO ITO

태림스코어

CONTENTS

Rhapsodie 랩소디 Op.1

I

1

Drei Volkslieder aus dem Komitat Csík 치크 지방의 3개의 민요

1.

38

2.

39

3.
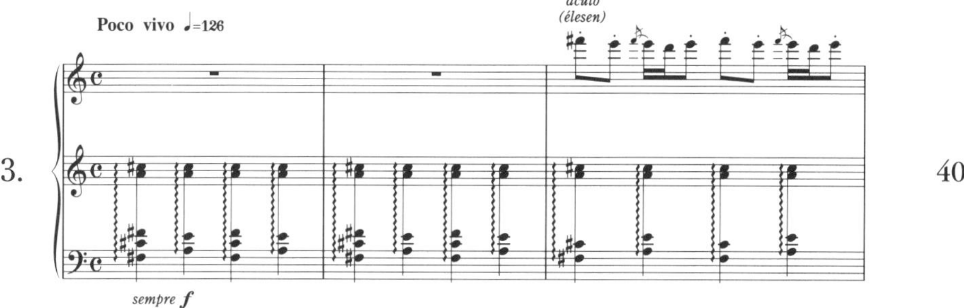

40

14 Bagatellen 14개의 바가텔 Op.6

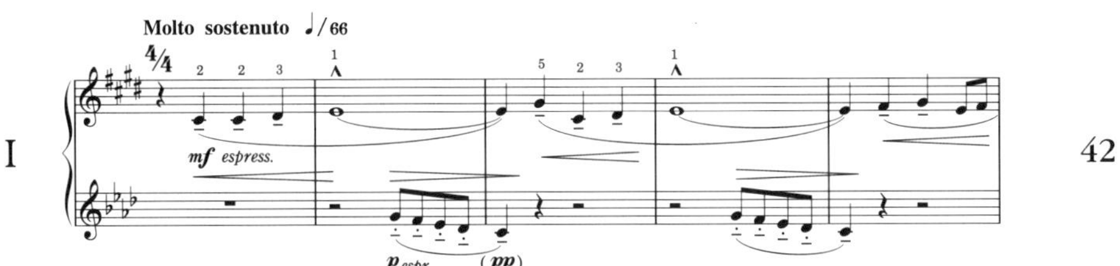

I 42

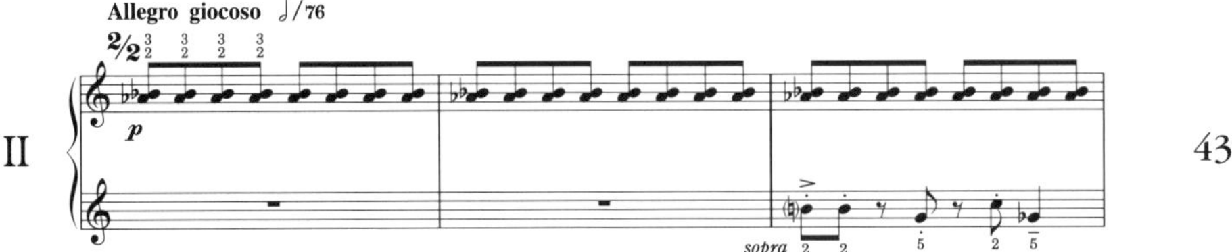

II 43

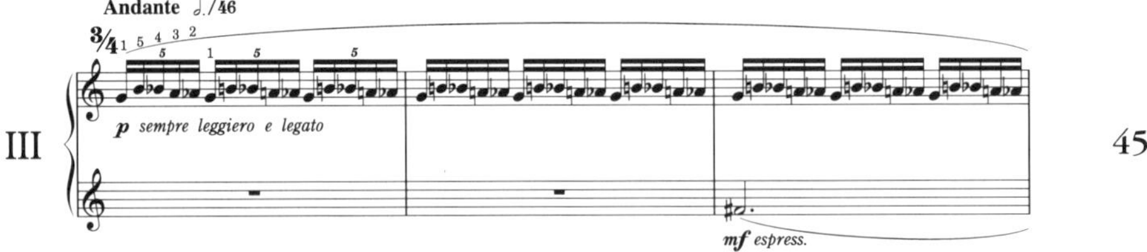

III 45

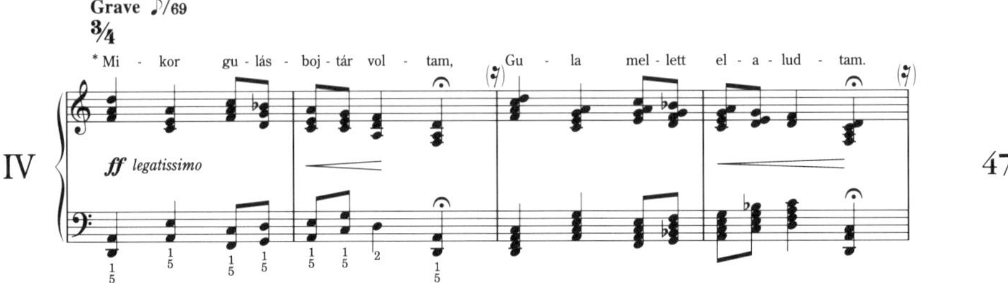

IV 47

V 48

VI 51

VII 52

VIII
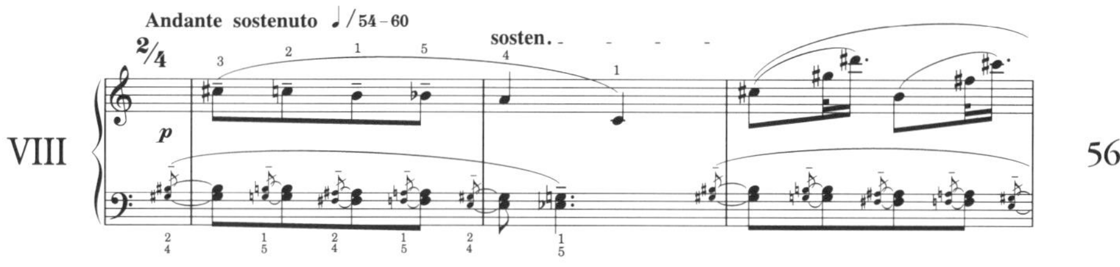

56

IX
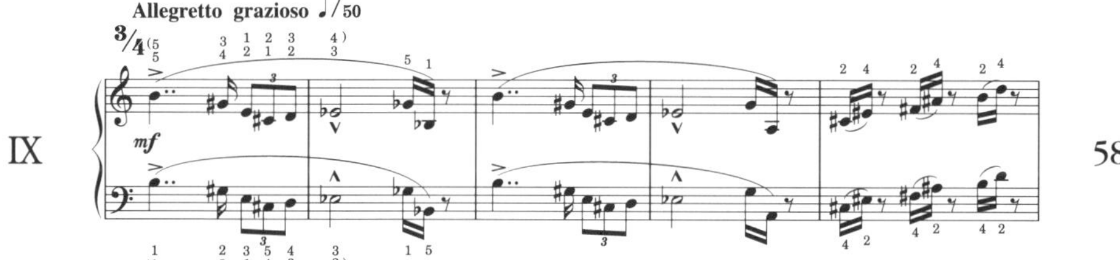

58

X

61

XI
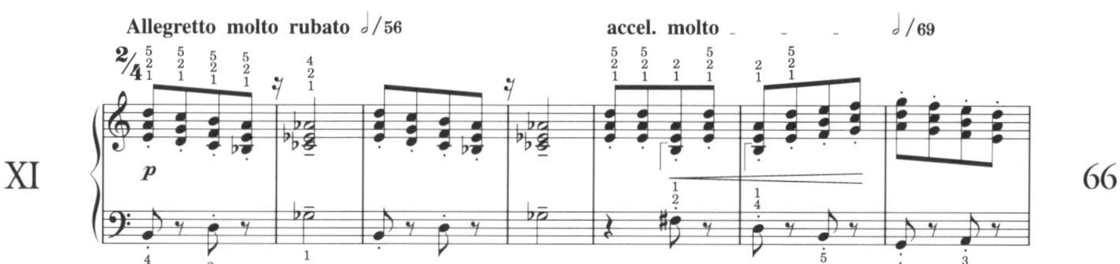

66

XII

68

Elle est morte... 그녀는 죽었다...

XIII

71

VALSE Ma mie qui danse... 내 연인은 춤춘다...

XIV

72

Seven Sketches 7개의 스케치 Op.9b

Portrait of a Girl 한 소녀의 초상

I 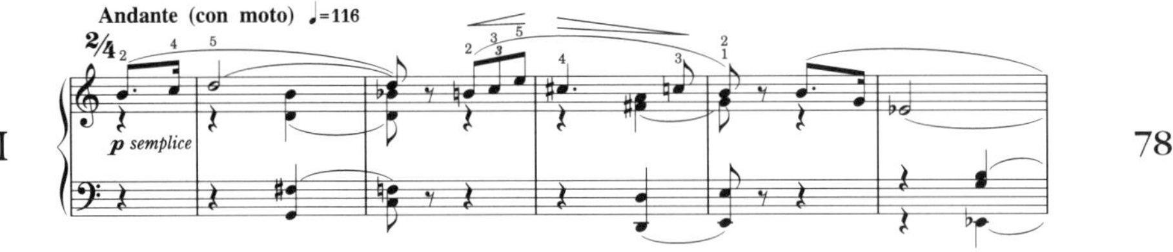

78

See - saw 시소놀이

II 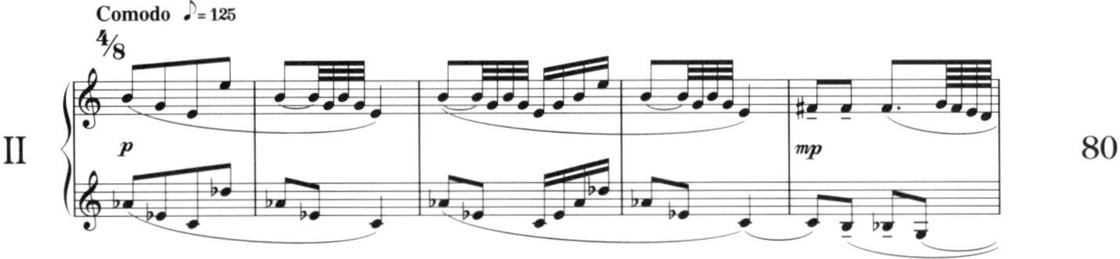

80

III 

81

IV 

82

Rumanian Folk-melody 루마니아 민요 선율

V 

86

In Walachian Style 발라키아풍으로

VI

87

VII

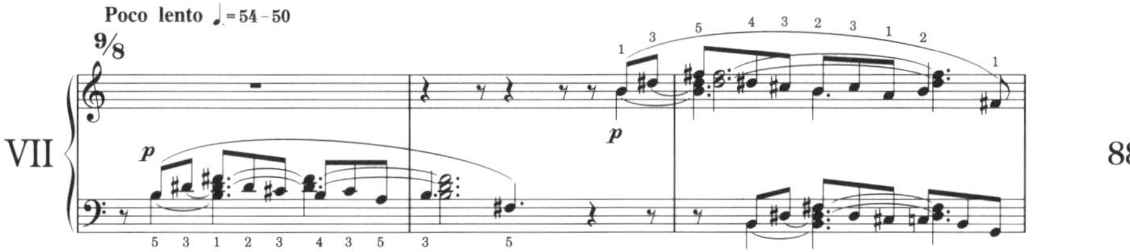

88

Trois Burlesques 3개의 부르레스크 Op.8c

querelle 다툼

I

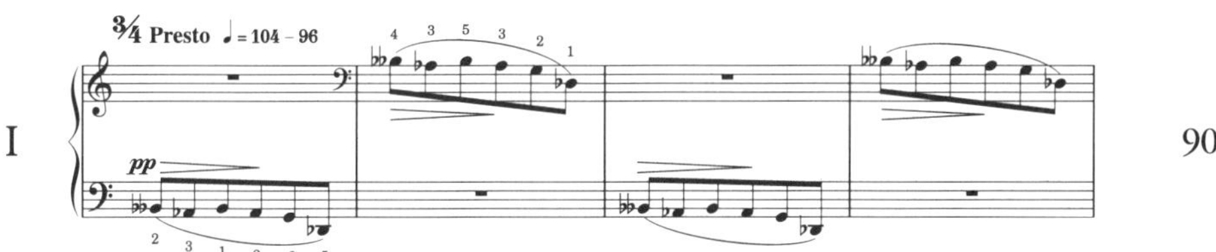

90

un peu gris... 거나한 기분

II

98

III

102

Tanz-Suite 무용조곡

I 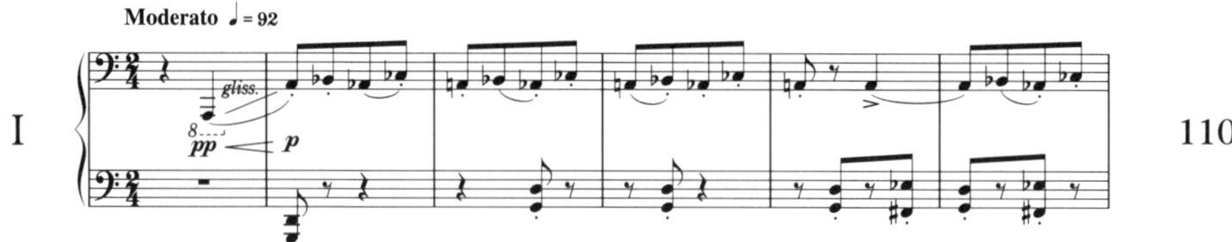

110

II 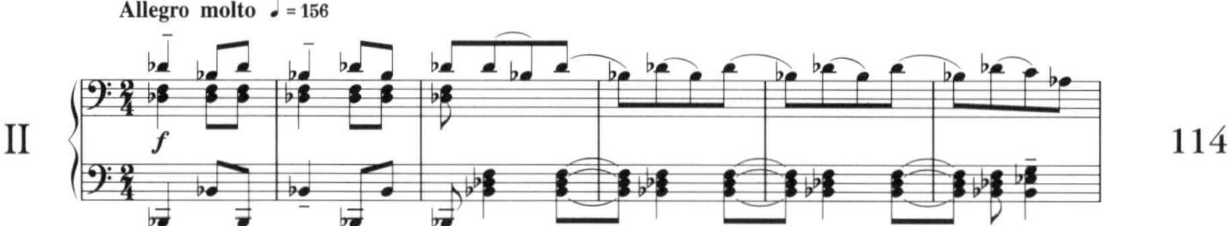

114

III 

118

IV 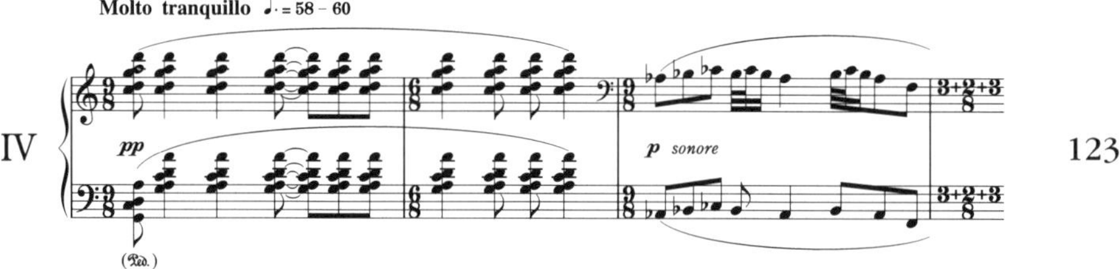

123

V 

125

Finale

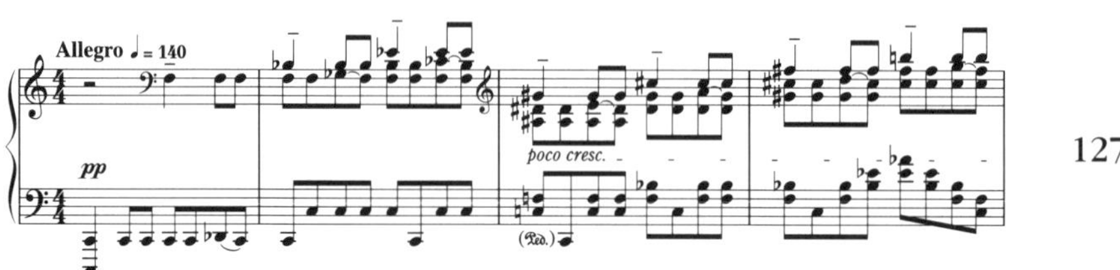

127

Neun kleine Klavierstücke 9개의 피아노 소품

Vier Zwiegespräche 4개의 대화

1.

136

2.

138

3.

141

4.

143

Menuetto 미뉴에트

5.

146

Lied 노래

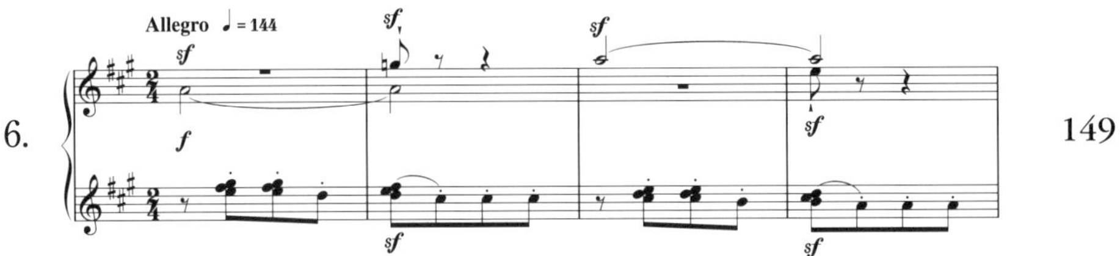

Marcia delle Bestie 야수의 행진

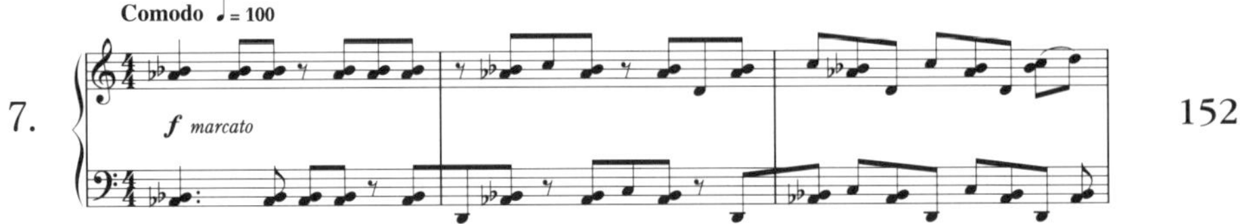

Tamburin 탬버린

Preludio - all'ungherese 서주 헝가리풍으로

[권말]

- 바르토크의 피아노 음악
- 작품 해설
- 교정 보고
- 연주 노트
- 가사 번역

BARTÓK

THE SELECTED WORKS FOR PIANO

3

Rhapsodie

랩소디

Op. 1

8
mf
dim.
dim.
p
= 50
pp dolce
10
5
5
11
1
4
3
7
12
5
5
13
poco f
p
p
3
10

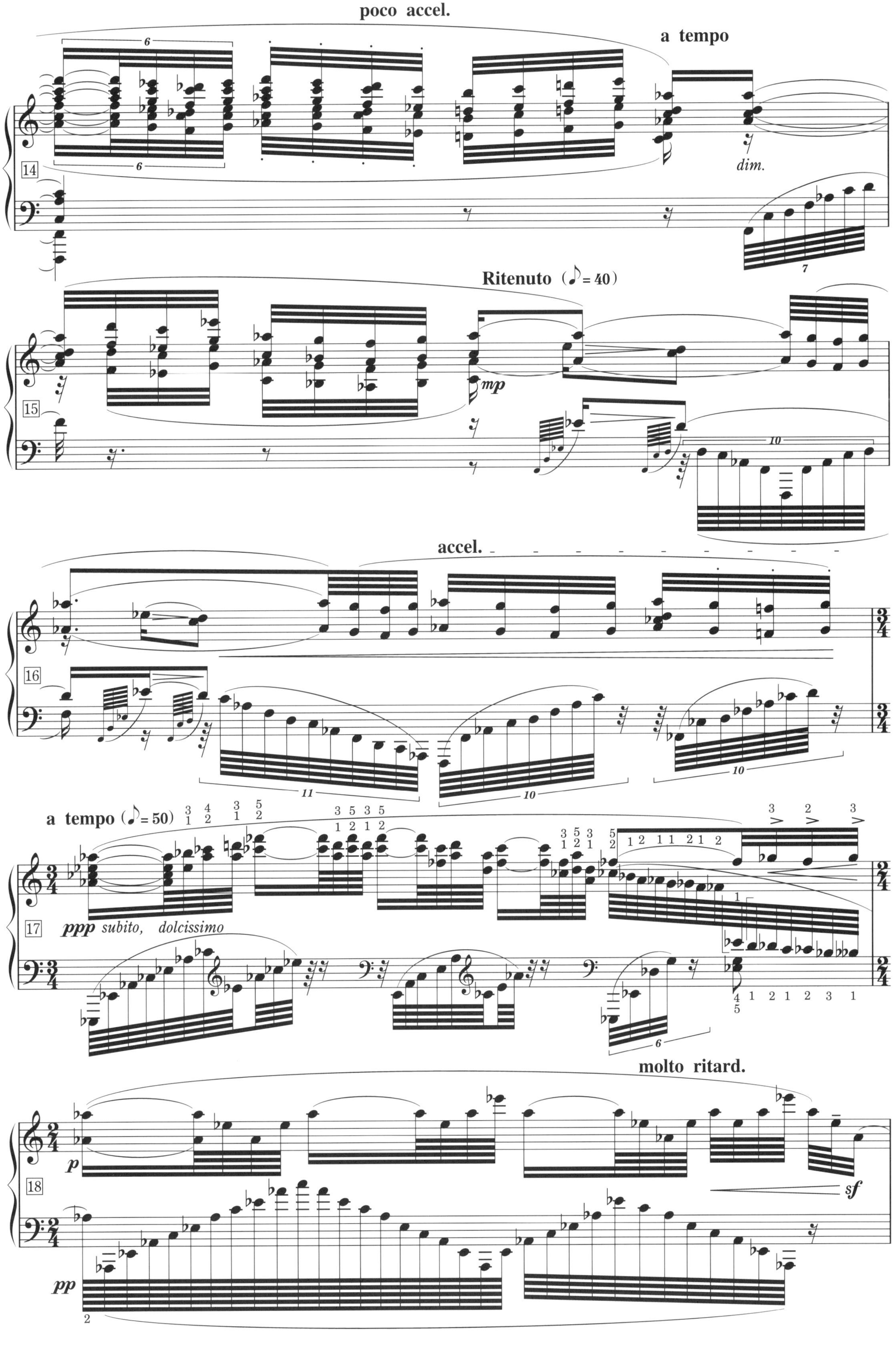

poco accel.

a tempo

14

dim.

Ritenuto (♪ = 40)

15

mp

accel.

16

a tempo (♪ = 50)

17

ppp subito, dolcissimo

molto ritard.

18

p

sf

pp

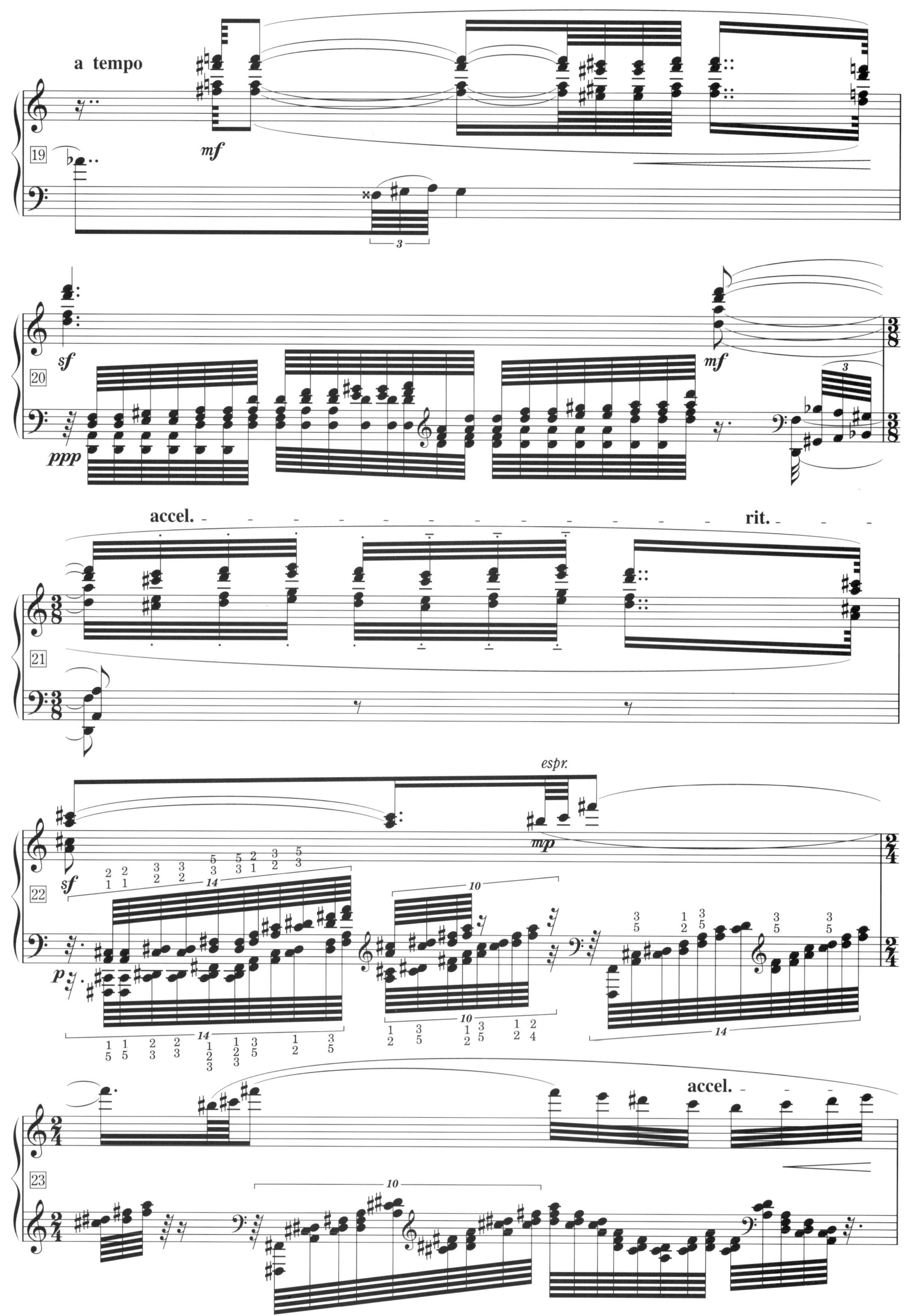
a tempo
accel.
rit.
espr.
accel.

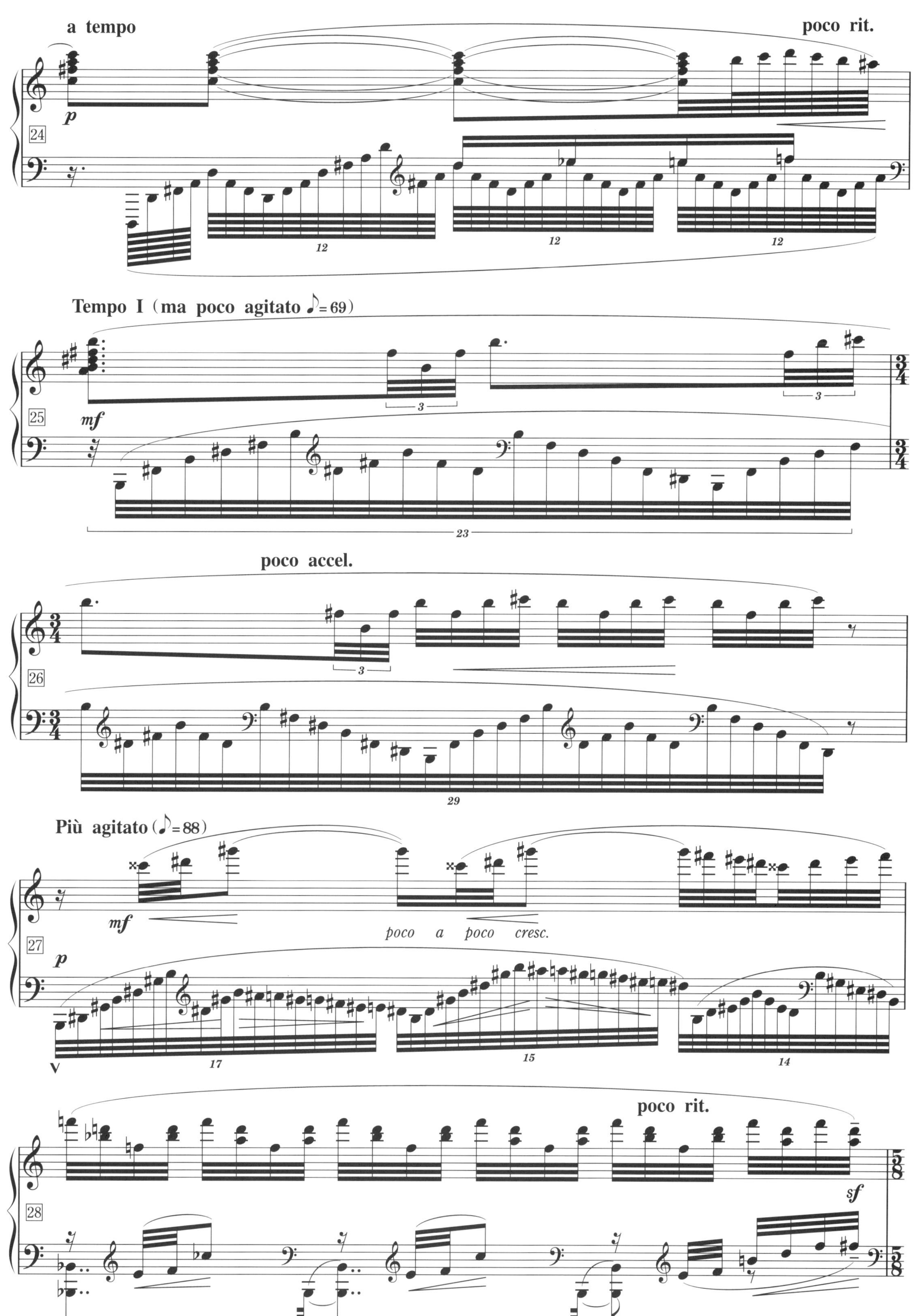
a tempo
poco rit.
p
24
12
12
12
Tempo I (ma poco agitato ♪= 69)
mf
25
3
3
23
poco accel.
26
3
29
Più agitato (♪= 88)
mf
poco a poco cresc.
p
27
17
15
14
poco rit.
sf
28

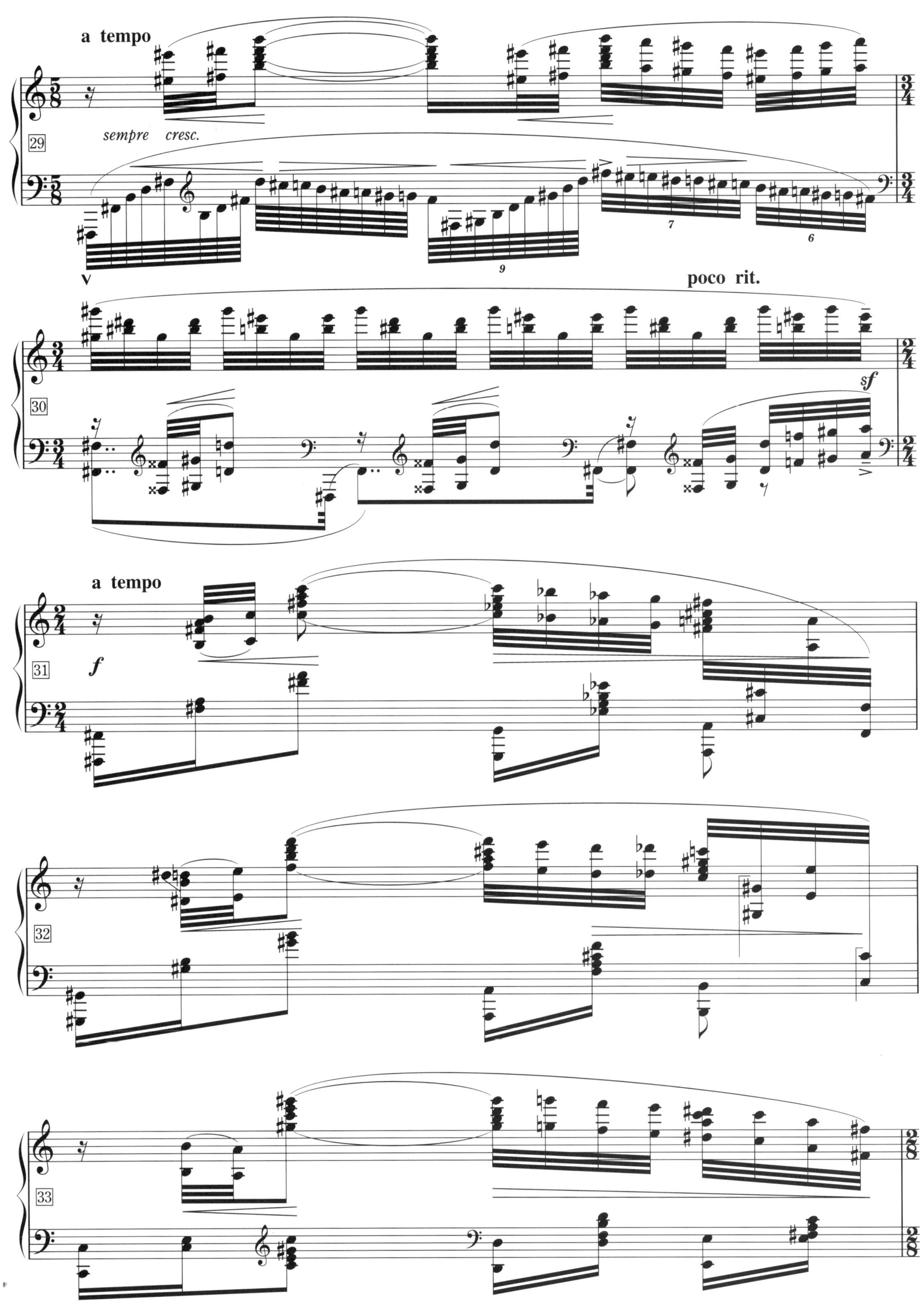
a tempo
sempre cresc.
29
9
7
6
poco rit.
30
sf
a tempo
f
31
32
33

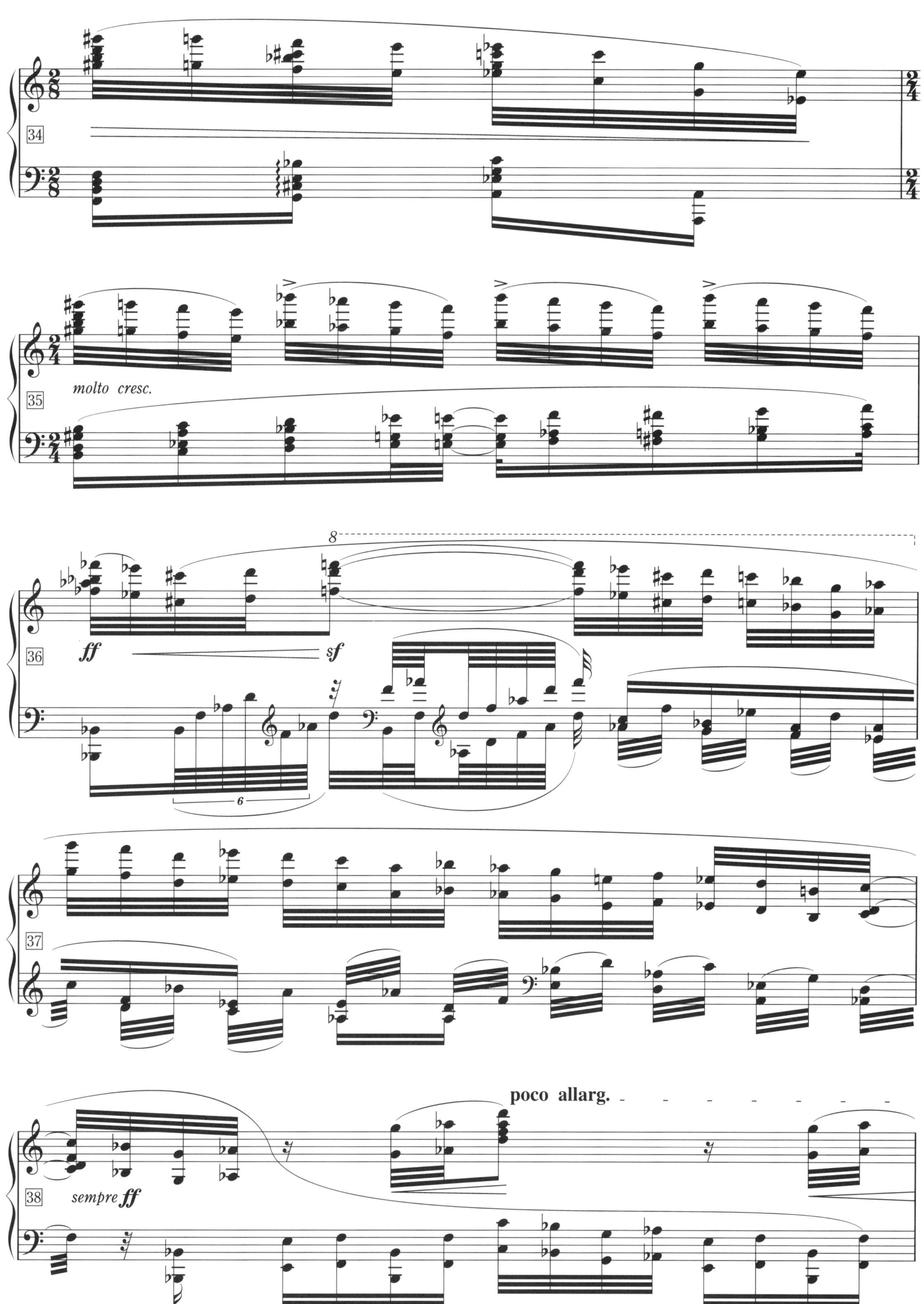
34
35
molto cresc.
36
ff
sf
8
6
37
38
sempre ff
poco allarg.

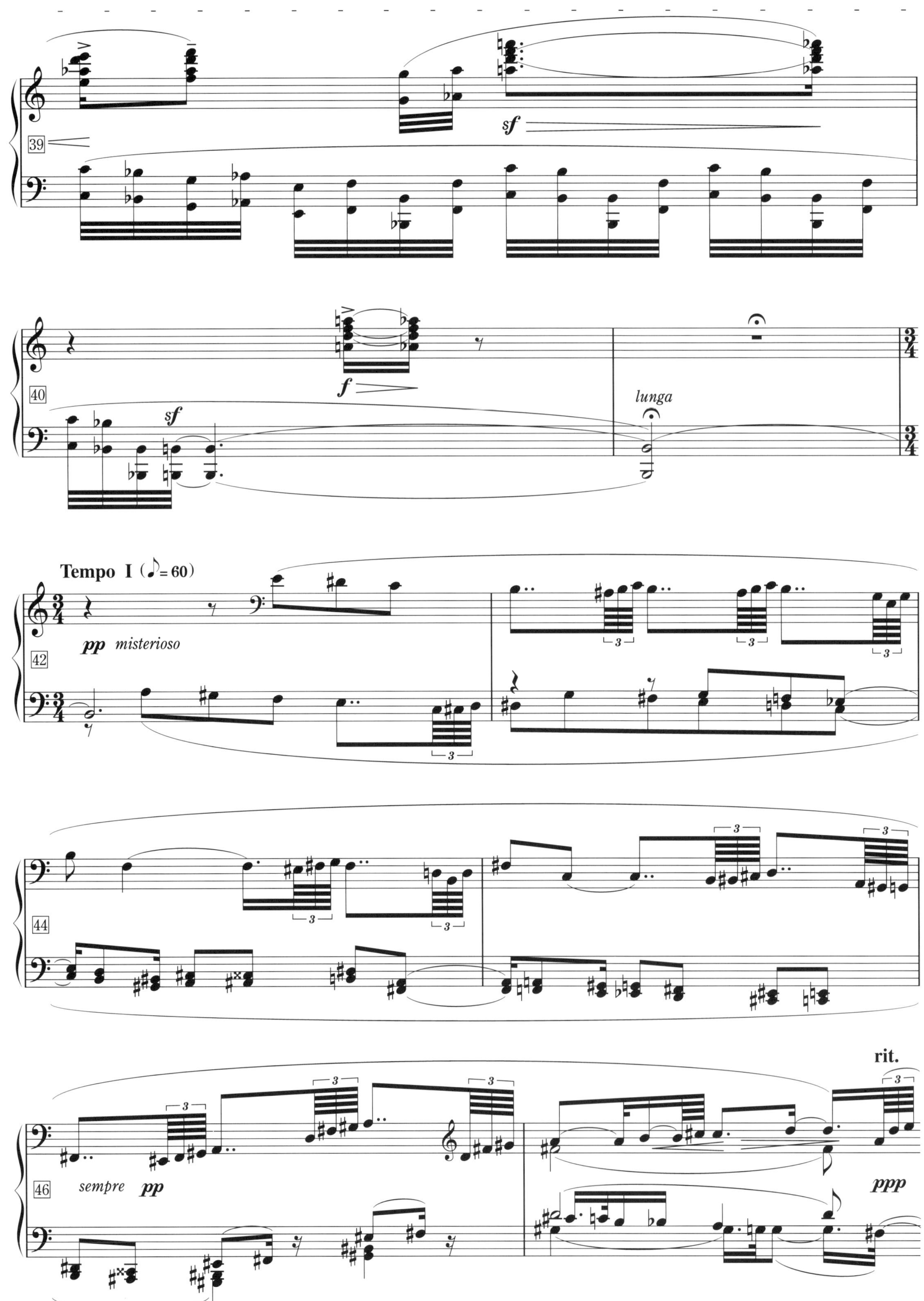
39
sf
40
f
sf
lunga
Tempo I (♪= 60)
42
pp misterioso
44
46
sempre pp
rit.
ppp

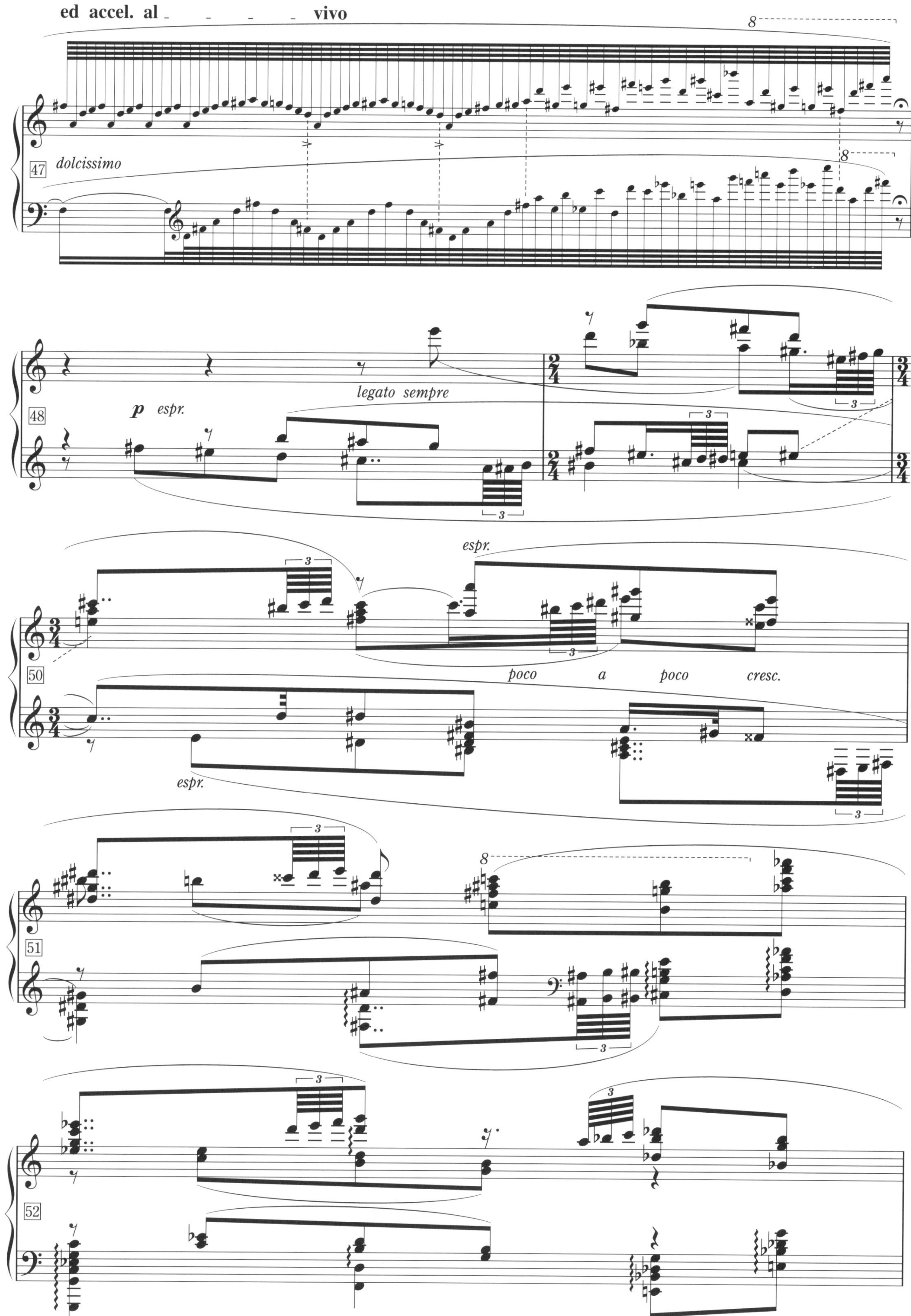
ed accel. al - - - - vivo
8
47
dolcissimo
8
48
p espr.
legato sempre
3
3
espr.
50
3
3
poco a poco cresc.
espr.
3
51
8
3
3
52
3
3

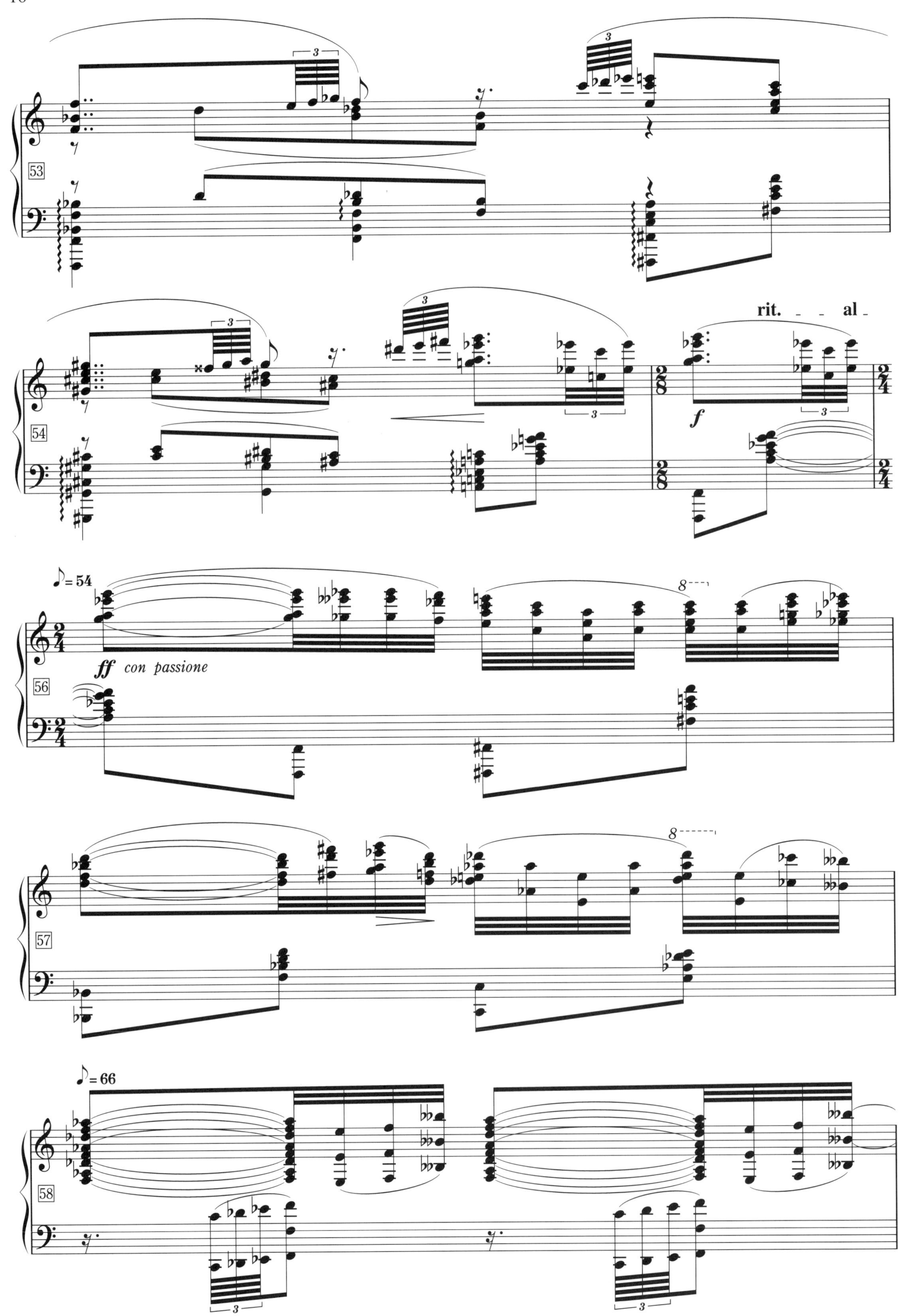
53
54
rit. _ _ al _
f
56
♪ = 54
ff con passione
8
57
8
58
♪ = 66

rubato
59
non legato
60
marcato
poco rit.
6
6
3
a tempo (♪= 66)
61
p
62
pp
m.g.
m.g.
m.g.
8
63

poco accel.
8
(breve)
64
a tempo
p
65
66
8
vivo
(breve)
Poco a poco più agitato ed accel.
poco a poco cresc.
67
69

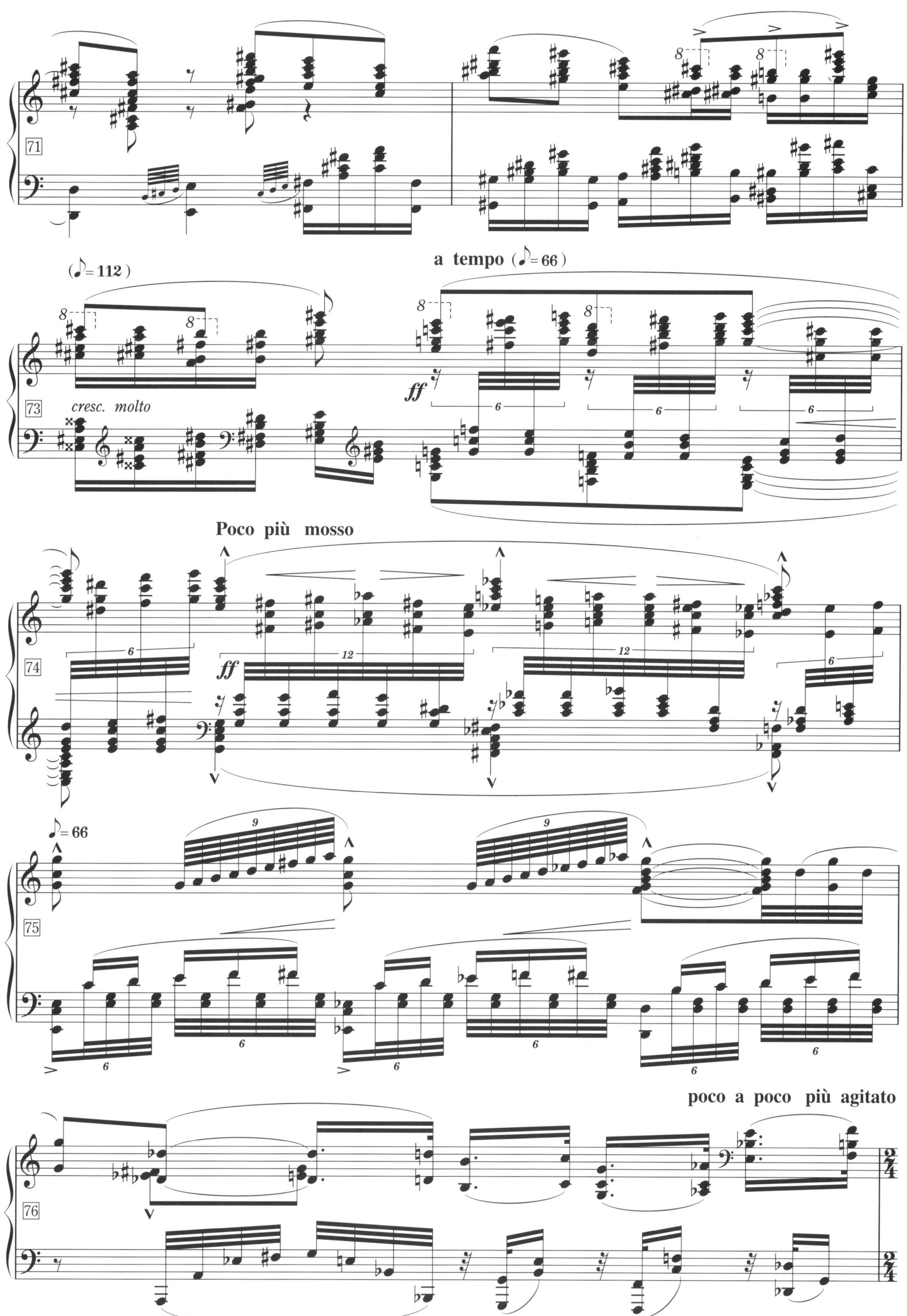
71
(♪= 112)
a tempo (♪= 66)
8
73
cresc. molto
ff
6
Poco più mosso
74
ff
12
♪= 66
75
9
76
poco a poco più agitato

77
f
(breve)
78
ff rapidamente
Ritenuto molto (♪= 50 – 48)
79
pp quieto
con 8
80
poco accel.
81

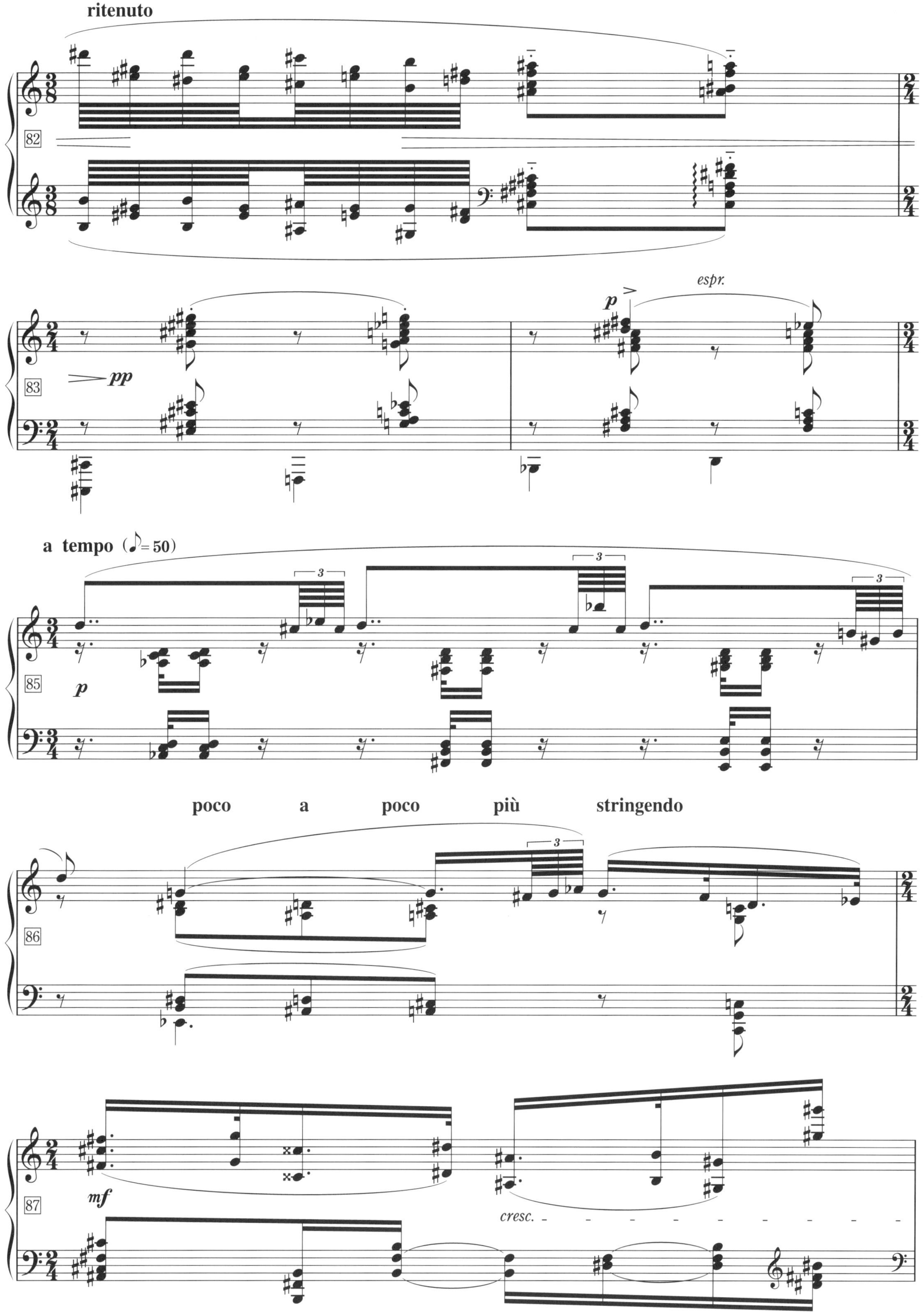

ritenuto
82
83
pp
p
espr.
84
a tempo (♪= 50)
85
p
3
poco a poco più stringendo
86
87
mf
cresc.

ritard. molto
88
Più vivo (♪= 100)
89
(♪=72)
90
91
92

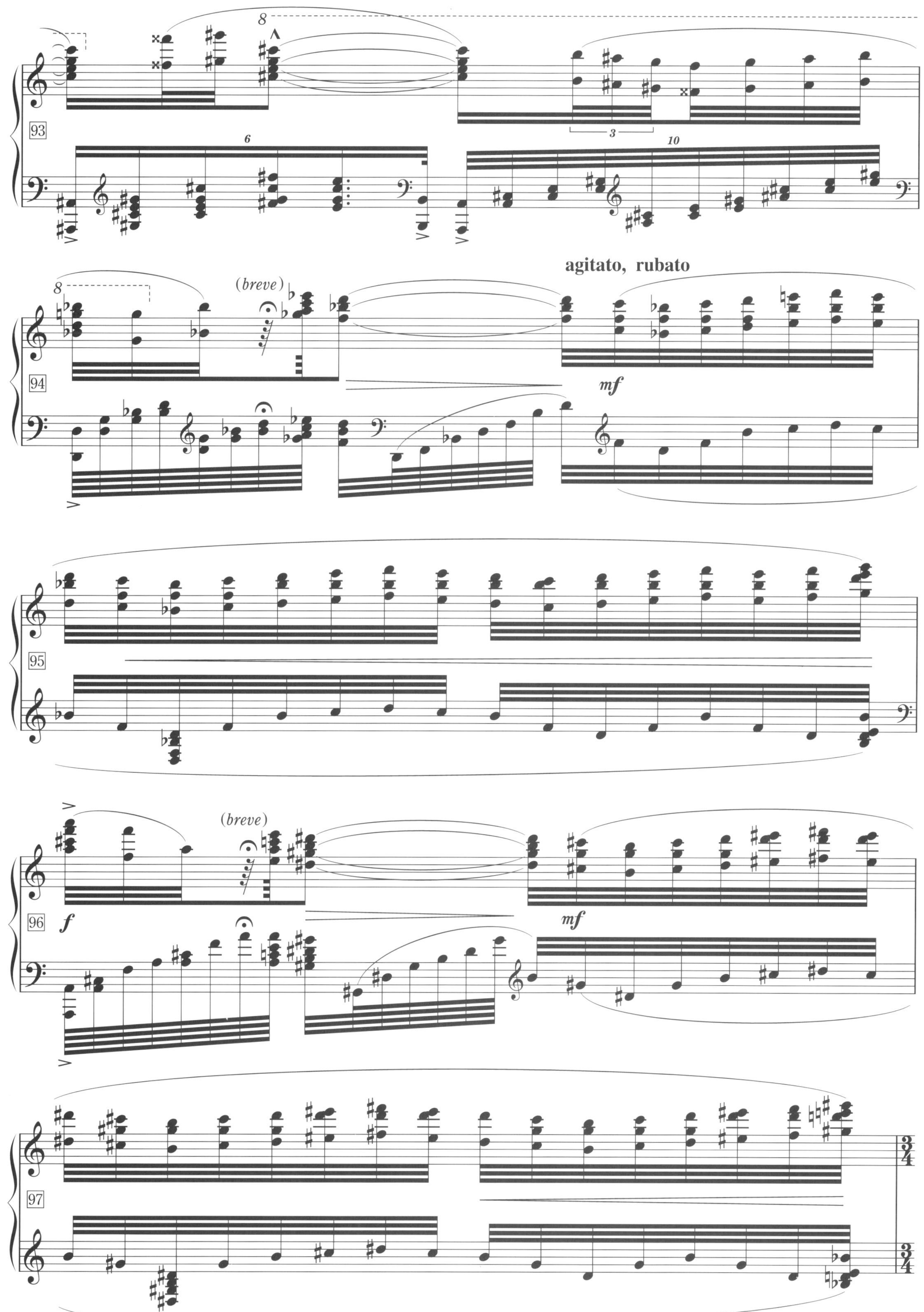
8
6
3
10
93
agitato, rubato
8
(breve)
mf
94
95
(breve)
f
mf
96
97

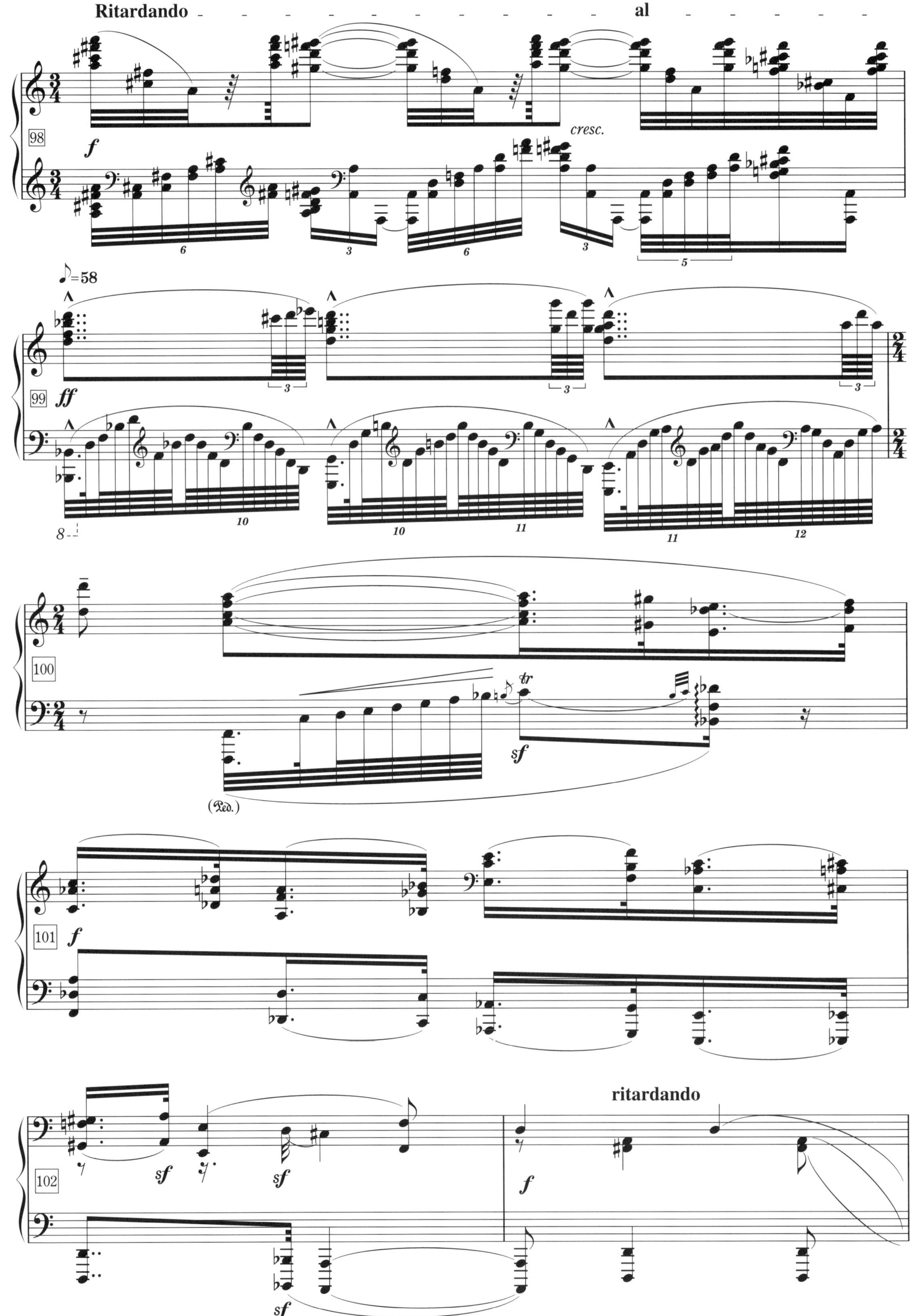
Ritardando
al
98
f
cresc.
6
3
6
3
5
♪=58
99
ff
3
3
3
8
10
10
11
11
12
100
tr
sf
(Ped.)
101
f
102
sf
sf
sf
ritardando
f

(♪=52)
104
p espr.
rubato
106
107
p espr.
pp
(Ped.)
10
109
pp
rubato
(Ped.)
11
111
pp

Adagio molto
p
113
Tranquillo (♩=66)
pp
116
Ped.
molto capriccioso
120
poco a poco cresc.
poco a poco accel.
127
mp
134
mf
sempre più vivo
8
141
cresc. molto
f

(♩=170 – 186)
Vivacissimo
148
ff
tr
5
154
poco rit.
160
sf
Meno vivo (♩=144)
166
pp capriccioso, rubato
(Ped.)
staccato
poco a poco accel.
Vivo (♩=180)
172
cresc. molto
sf
f
poco ritard.
179

Meno vivo (♩=144)
poco a
187
ff capriccioso, rubato
poco accel.
Vivace molto (♩=180)
194
sempre ff
poco ritard.
200
Sostenuto molto
allarg.
Vivo
208
f
sf
p leggiero
Sostenuto molto
allarg.
Vivo
214
f pesante
sf
p leggiero
220
tr
tr

molto rit.
8
mp
226
a tempo
8
p
232
239
cresc.
sf
246
sempre
sf
sf
sf
f
8
Molto vivace (♩ = 180)
8
252
ff
(Ped.)
260
poco dim.
7

Poco maestoso (Meno vivo ♩= 160)
rubato
ff
268
275
8
282
8
288
ff
sf
295
sf
sf
sf
Poco più allegro (non rubato)
302
sf
mf

308
315
poco sf p subito
cresc.
322
f
328
334
f strepitoso
340
cresc.
con 8

Più vivo (♩=180)
346
molto
con 8
ff
(Ped.)
352
m.g.
m.d.
gliss.
358
sf
m.d. gliss.
m.g.
m.d.
365
gliss.
m.d.
sf
dim.
370
sf
mf
1
p
2
Riten. molto
a tempo (Allegro vivace ♩=184)
378
m.g.
lunga
pp
p

poco rubato
leggiero
385
Tempo giusto
392
Poco rit.
acc.
al
a tempo
398
cresc.
406
414
dim.
espr.
422
Ped.

Presto (𝅗𝅥 = 92)
428
p agitato
(Ped.)
sf cresc.
434
sf
p
mf
espress.
439
8
cresc.
443
8
f
sf
p
448
sf cresc.
sf
p
453
mf
espr.
cresc.

8
458
f
sf
mp
464
sf
cresc.
f
sf
469
sf
sf
cresc.
martellato
474
sf
ff
480
allargando
486
sf
sf
sf

a tempo (𝅗𝅥= 92)
492
ff
498
504
Poco allargando
Meno vivo
510
p subito
rallentando
516
p
Presto
sempre staccato
522
p
leggiero

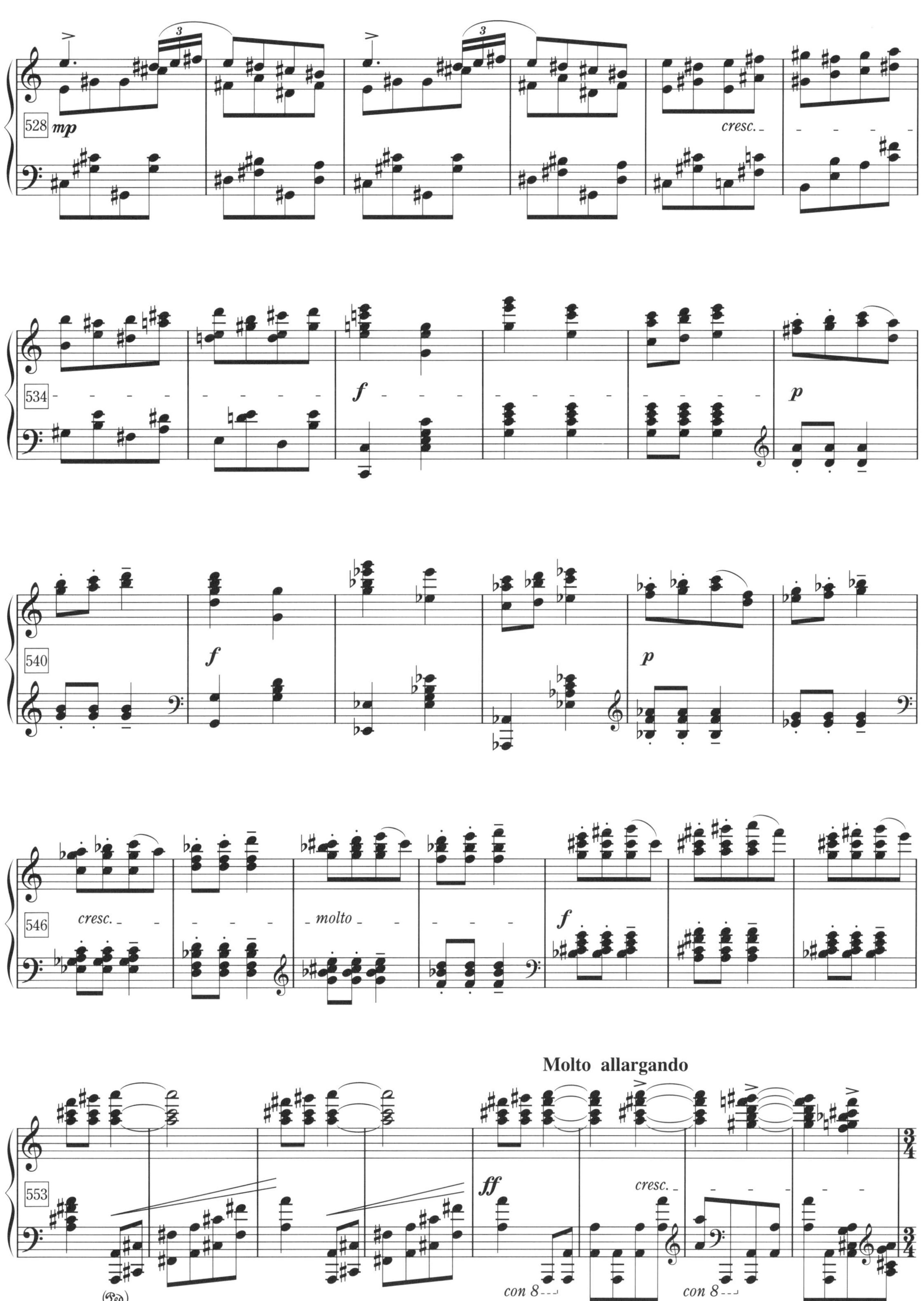
528
mp
cresc.
534
f
p
540
f
p
546
cresc.
molto
f
Molto allargando
553
ff
cresc.
con 8
con 8
(Ped.)

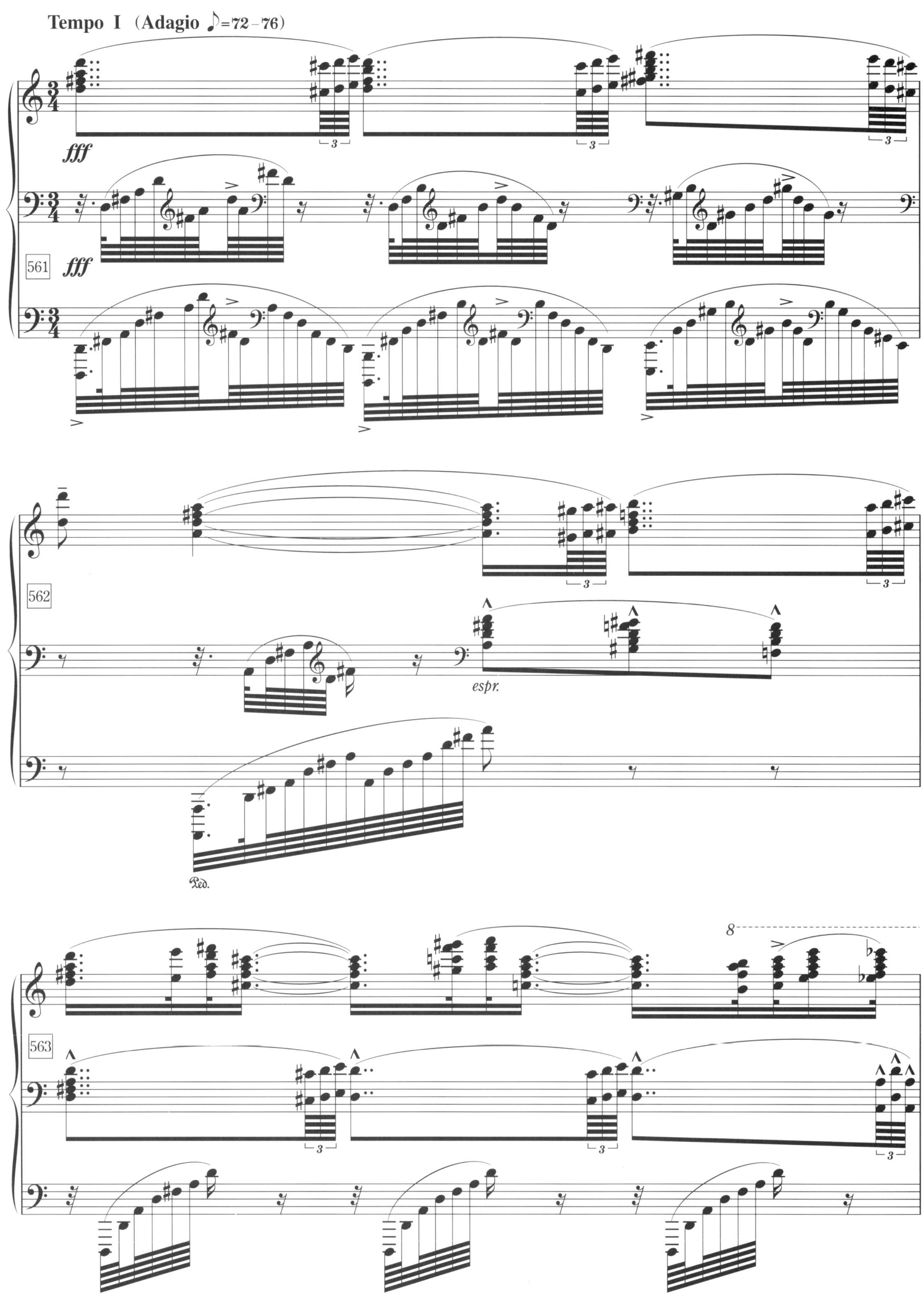
Tempo I (Adagio ♪=72–76)
fff
fff
561
562
espr.
Ped.
563
8

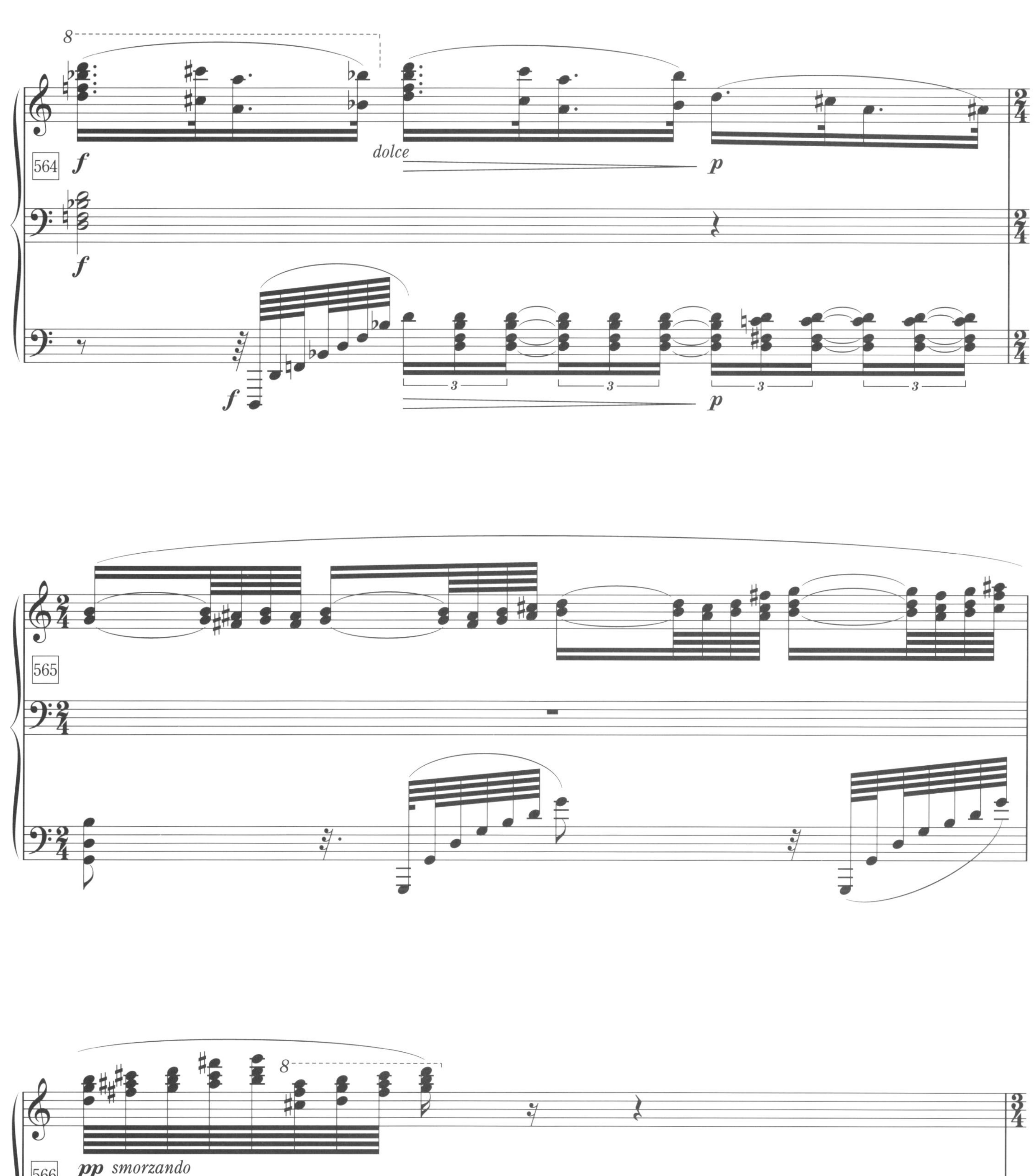

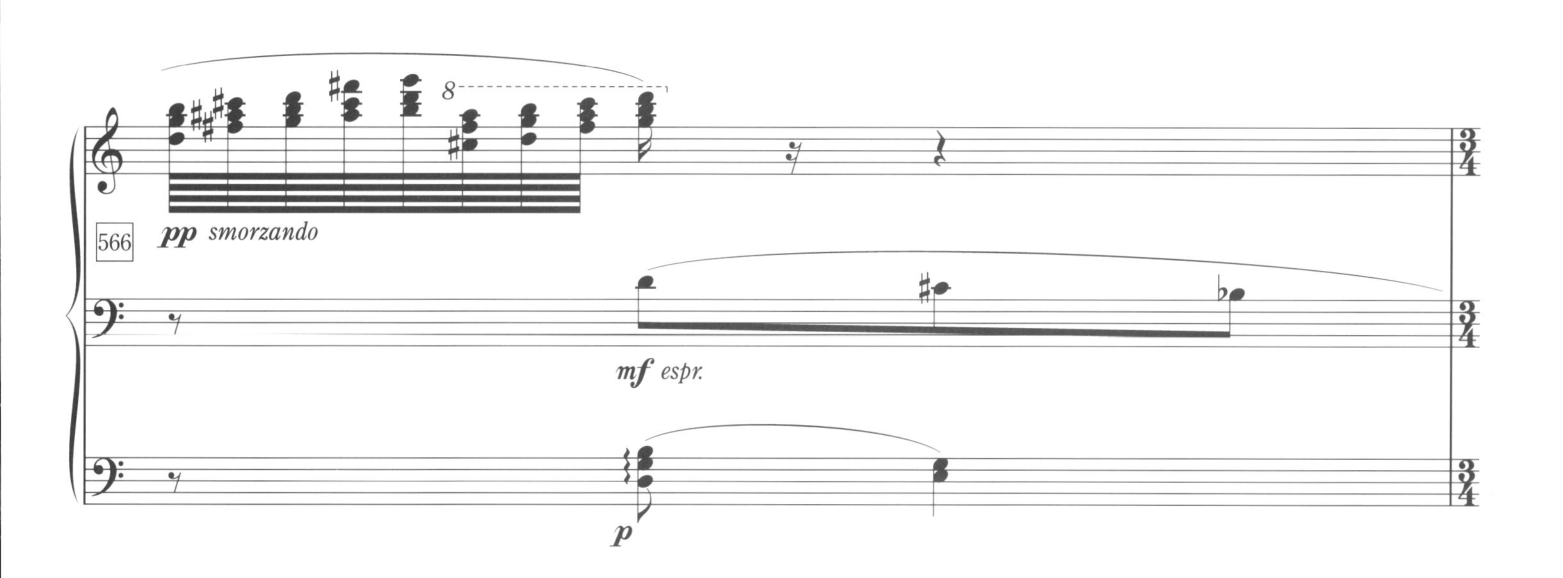

8
564
f
dolce
p
f
f
p
565
566
pp smorzando
8
mf espr.
p

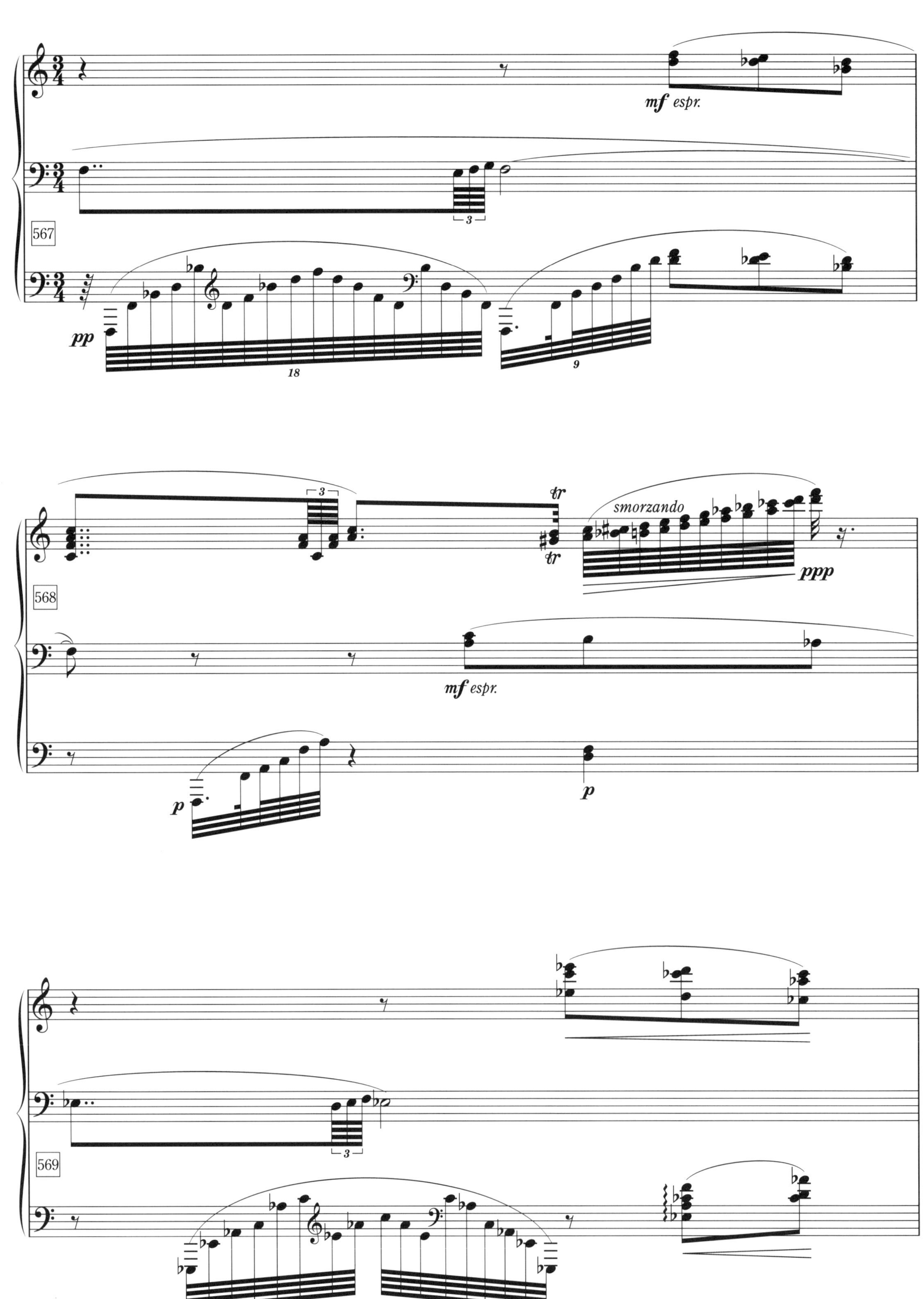
mf espr.
567
pp
18
9
smorzando
ppp
568
mf espr.
p
p
569
9

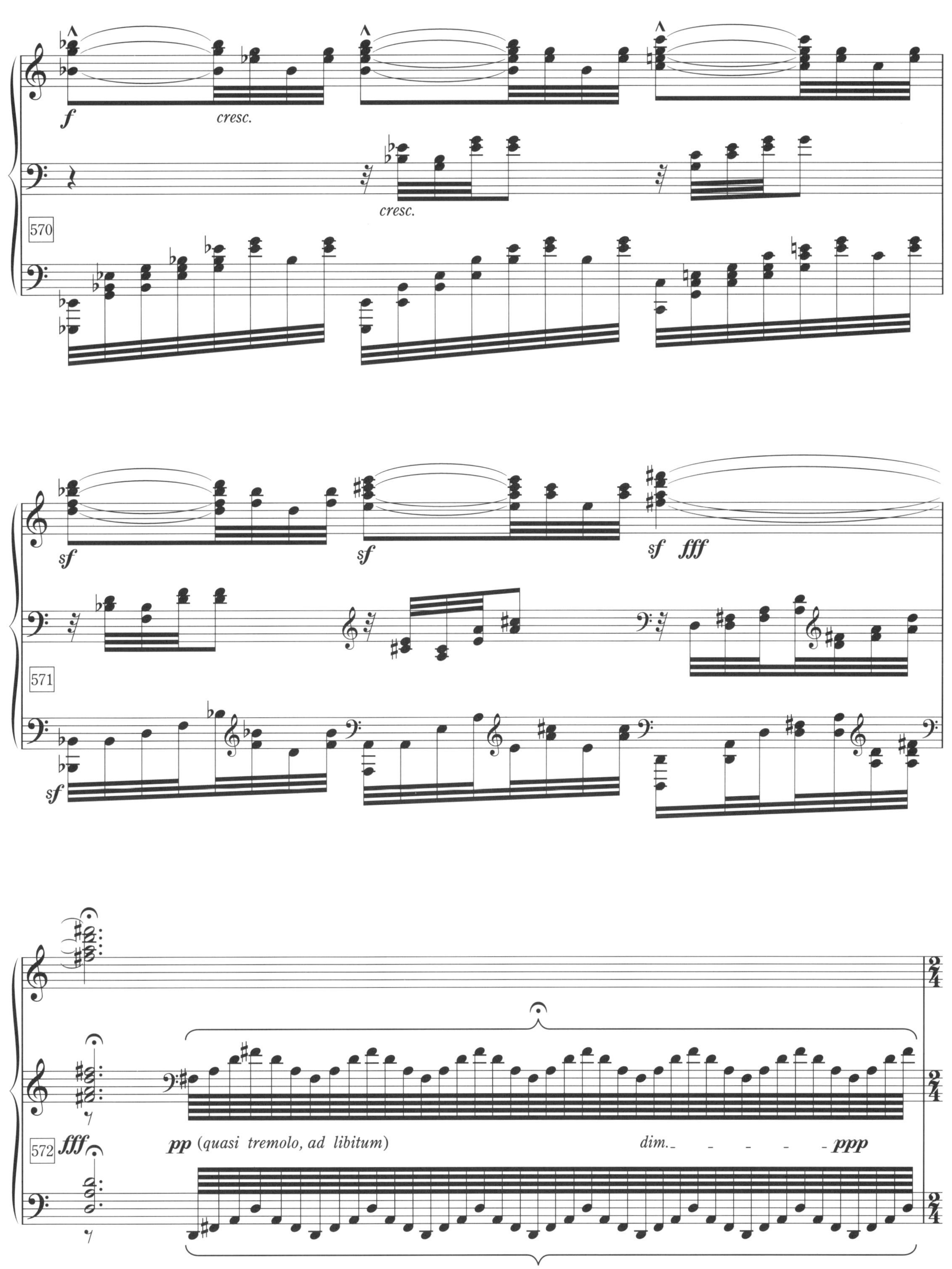
f
cresc.
cresc.
570
sf
sf
sf
fff
571
sf
572
fff
pp (quasi tremolo, ad libitum)
dim.
ppp

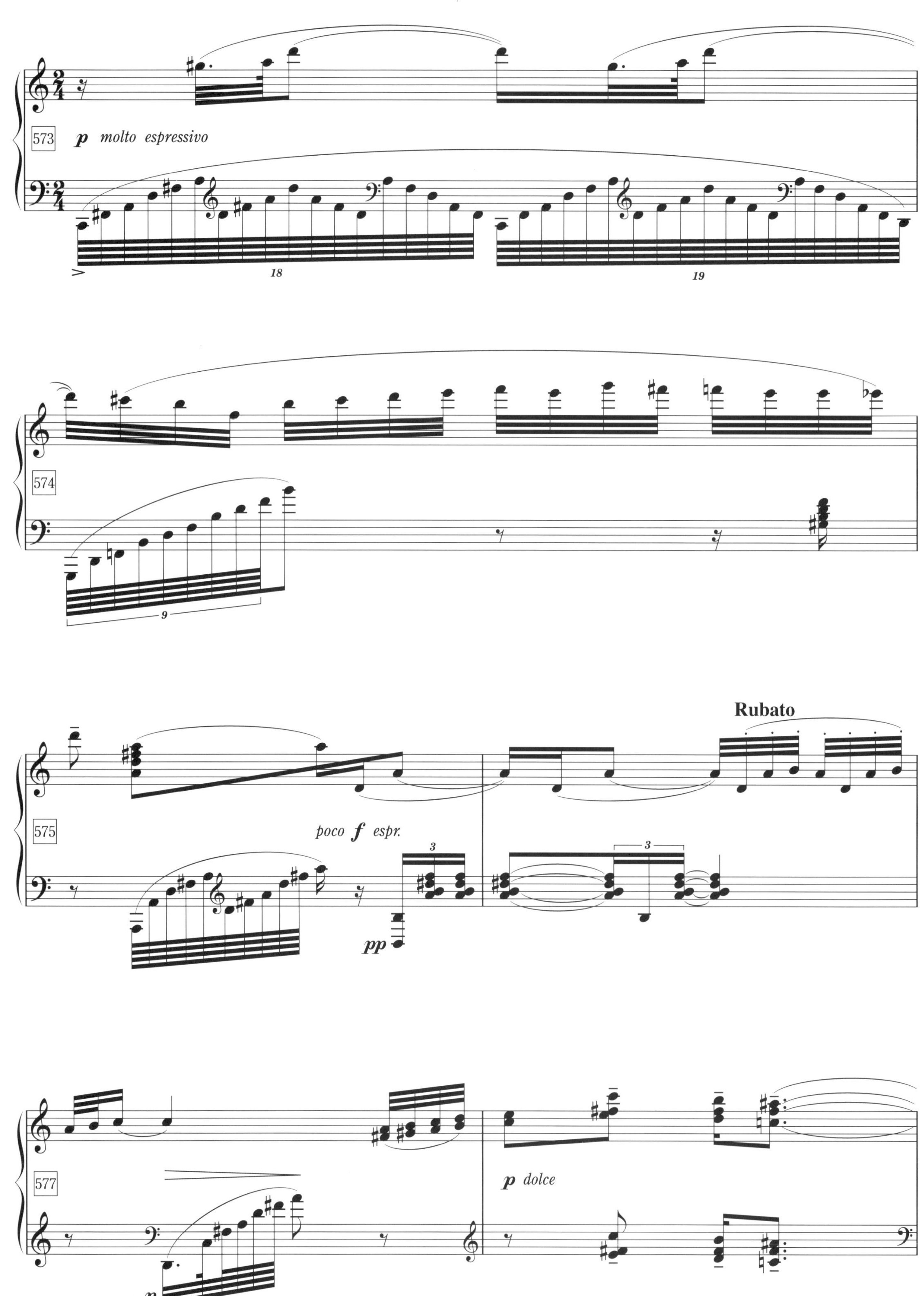
573
p molto espressivo
18
19
574
9
575
poco f espr.
pp
3
Rubato
577
p
p dolce

579

molto quieto
Ritard.
581

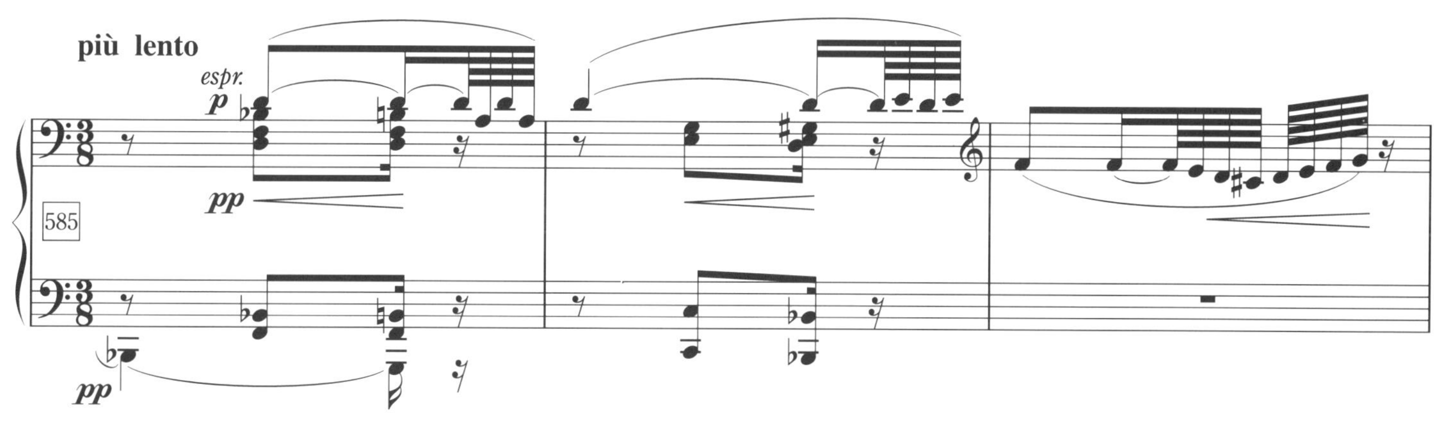
più lento
espr.
p
pp
585
pp

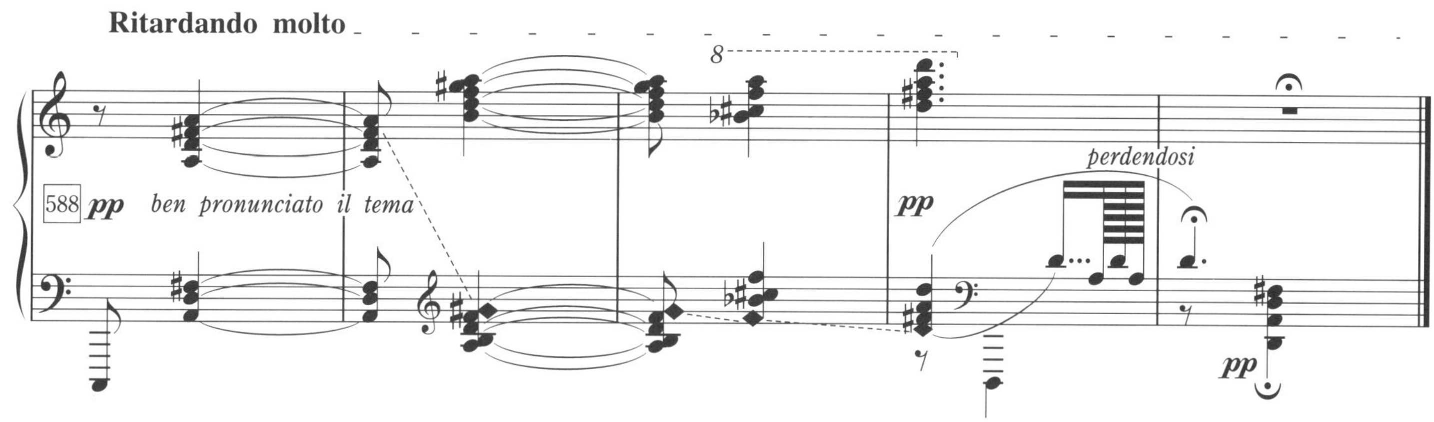
Ritardando molto
8
588
pp
ben pronunciato il tema
pp
perdendosi
pp

Drei Volkslieder aus dem Komitat Csík*

치크 지방의 3개의 민요

* Gespielt auf tilinkó von einem sechzigjährigen Mann in Gyergyótekerőpatak.
(제르조테케뢰파탁에서 60대 노인이 틸링조를 연주했다.)

L'istesso tempo
2.
mp
tr
4
1.
2.
poco accel.
scherzando, non rubato
p
7
a tempo
p
poco accel.
ritard.
11
14
1.
2.

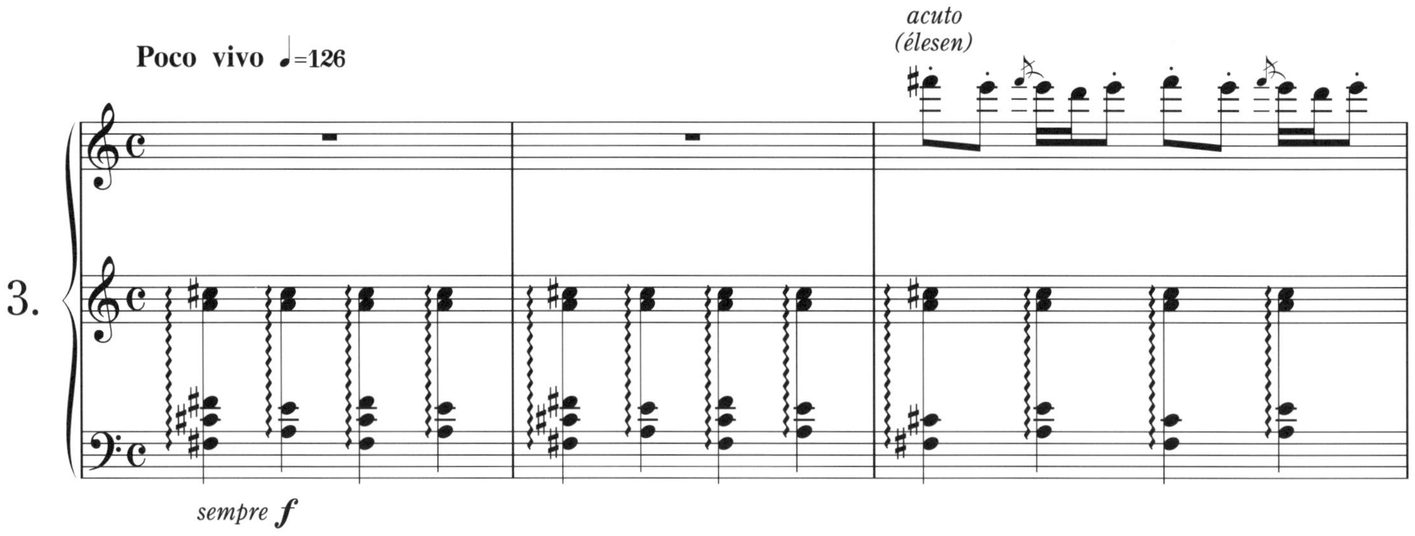
Poco vivo ♩=126
acuto
(élesen)
3.
sempre f

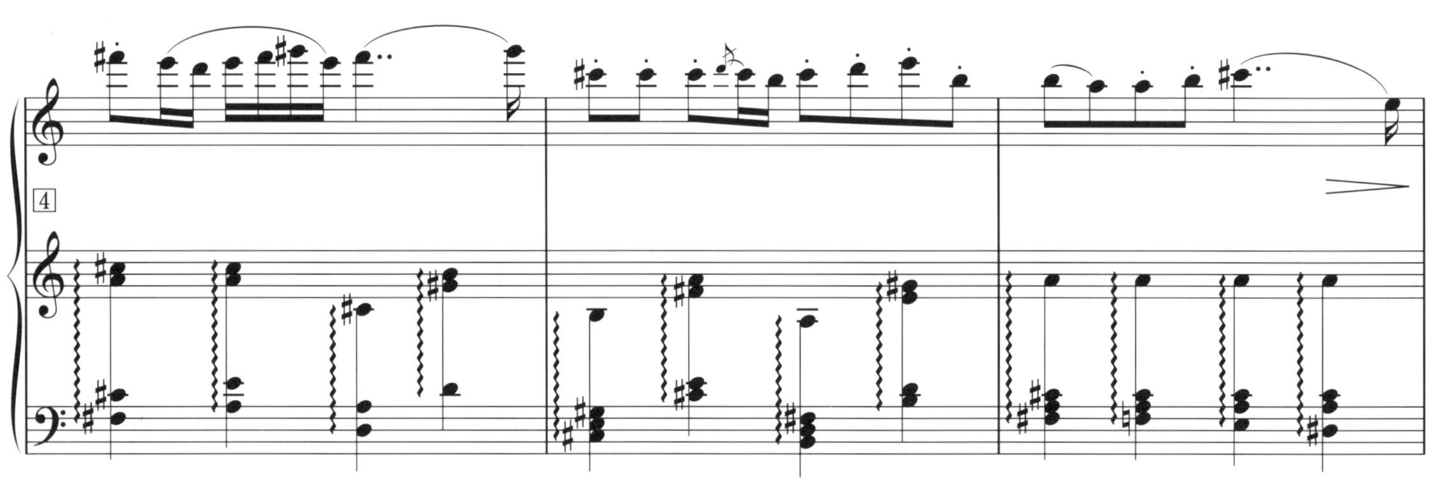
4

7
3

Die Versetzungszeichen gelten nur für die Noten in gleicher Höhe(auf ein und derselben Linie, bzw. in ein und demselben Zwischenraum) für die Dauer eines Taktes. So z.B.

임시기호는 같은 음높이(즉 같은 줄, 칸), 같은 마디 안에서만 유효하다.
즉, 예를 들면

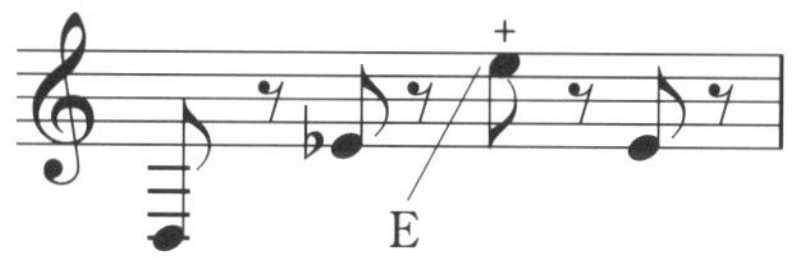

혹은
oder

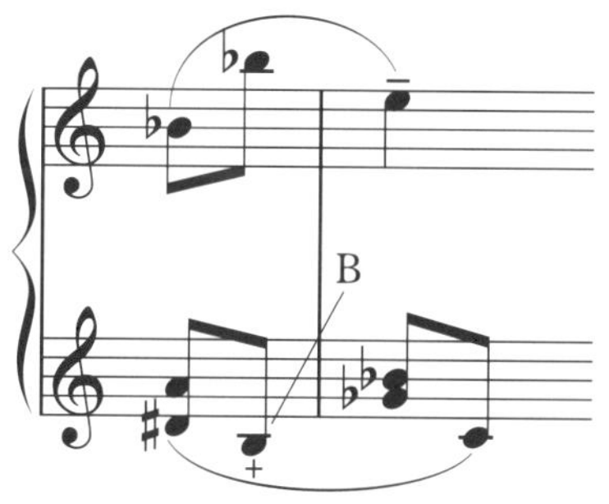

hier finden wir es überlüssig, vor die mit + bezeichneten Noten ein Auflösungszeichen zu setzen.

Eine Ausnahme findet bloß bei Noten statt, deren Wert mittels eines Bogens bis in den nächsten Takt verlängert wird:

+기호가 붙은 음 앞에서는 제자리표가 붙지 않는다. 예외는 세로줄을 넣어 붙임줄로 묶인 경우이다.

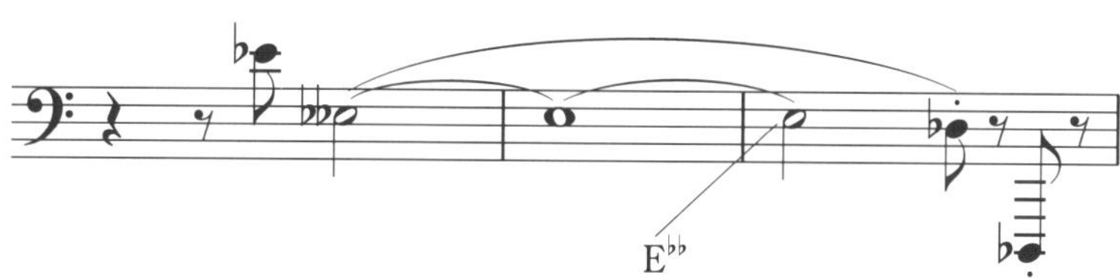

Die Pedalisierung bezeichnen wir folgendermaßen: └─┘

페달링은 다음과 같은 기호로 표시한다. └─┘

Hier und da setzen wir über den Taktstrich eine Pause. Wir wünschen da ein Innehalten zwischen den betreffenden Takten, dessen Dauer durch den Wert der Pause bestimmt wird.

Unter Sostenuto verstehen wir ein plötzliches, unter *ritard.* oder *riten.* ein allmähliches Langsamer werden.

세로줄 위에 쉼표가 붙어 있는 경우가 있다. 이것은 마디 간에 다소 사이를 두라는 의미이며 그 길이는 쉼표의 음가에 의해 표시된다.

Sostenuto 지시는 갑자기 템포가 느려지는 것을 나타내고, *ritard.* 와 *riten.* 은 점점 느려지는 것을 나타낸다.

14 Bagatellen

14개의 바가텔

Op. 6

I

II

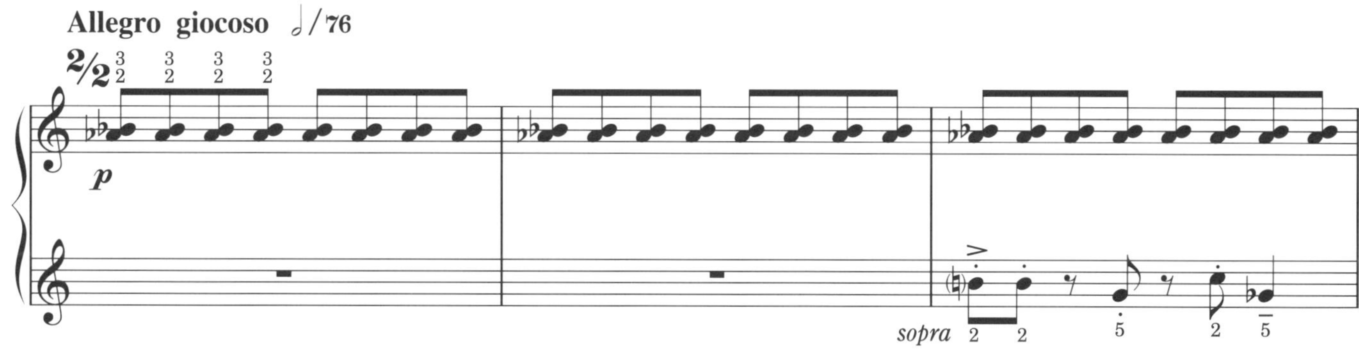
Allegro giocoso
p
sopra

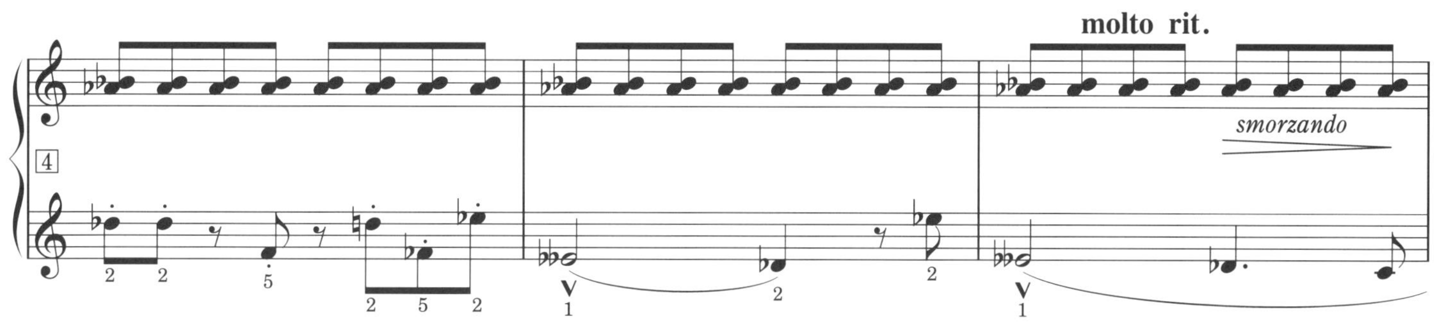
molto rit.
4
smorzando

a tempo
pp
p
7

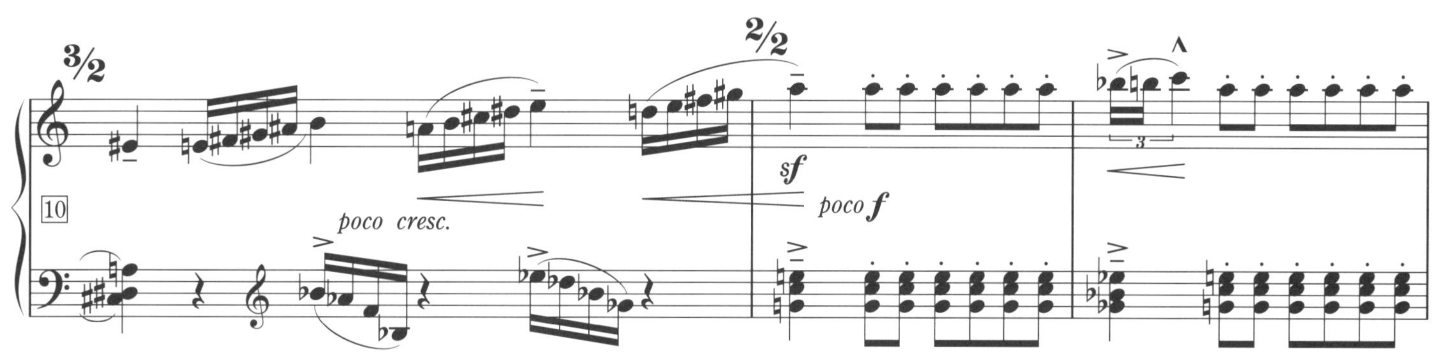
10
sf
poco f
poco cresc.

13
dim.
16
p
3/2
2/2
sf dim.
f
p
19
p
22
sempre p
26

III

Andante 𝅗𝅥./46
3/4
1 5 4 3 2
5
1
5
5
p sempre leggiero e legato
mf espress.

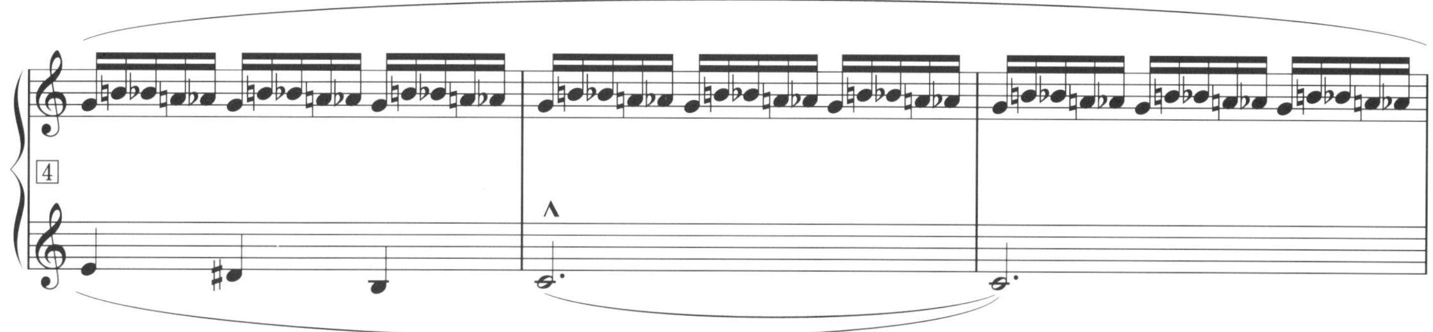
4

7

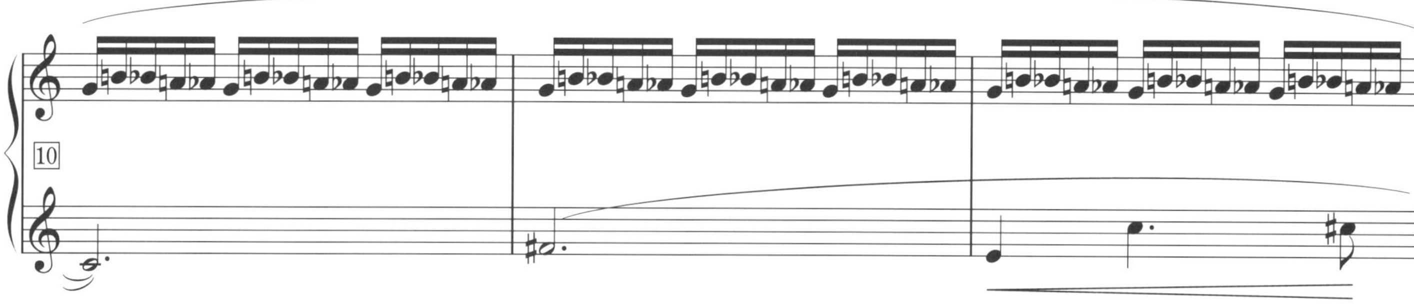
10

13
più p

16

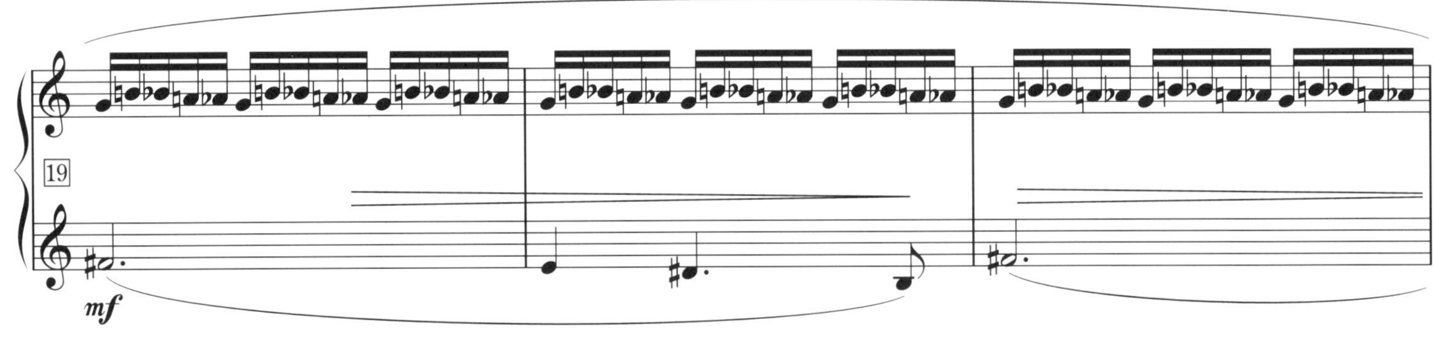
19
mf

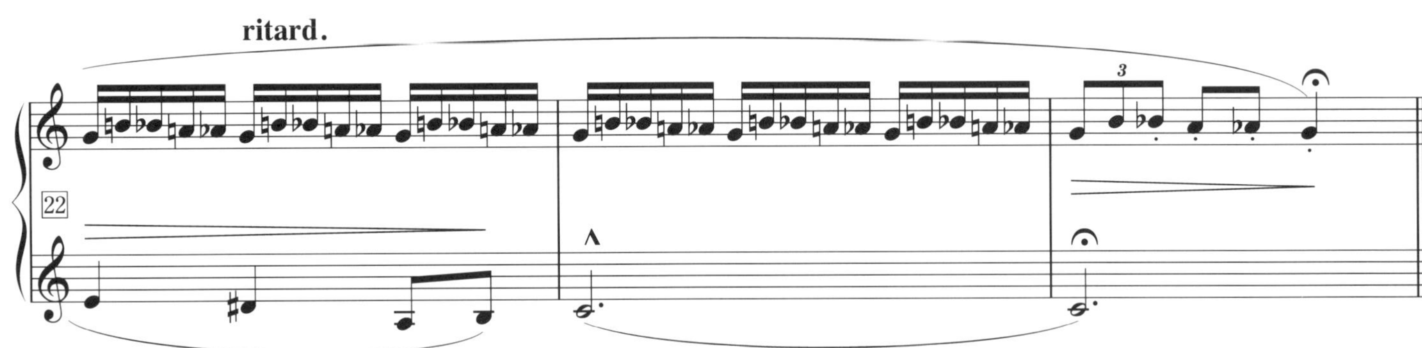
ritard.
22
3

IV

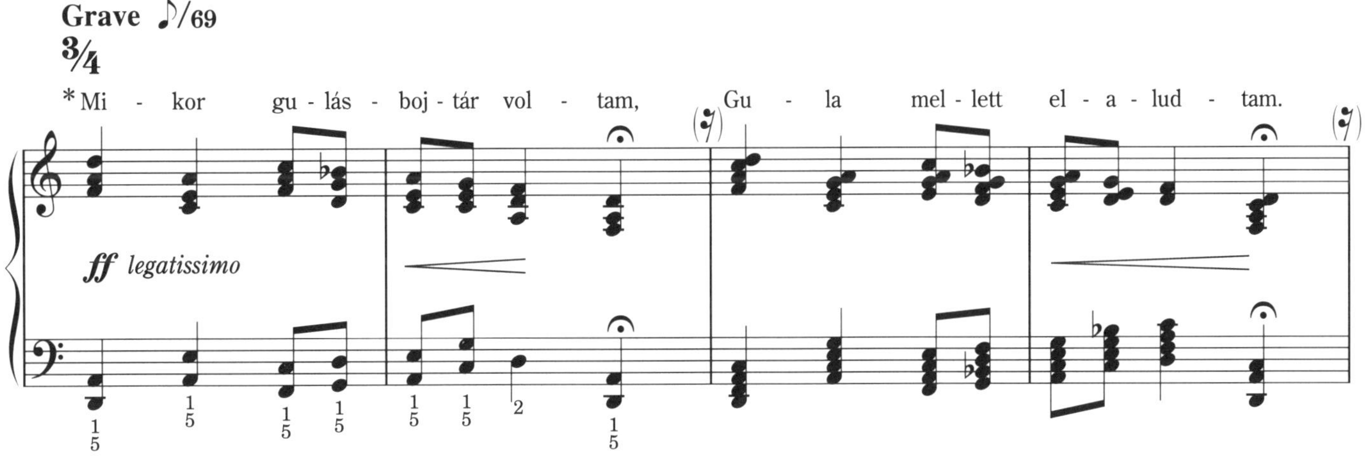

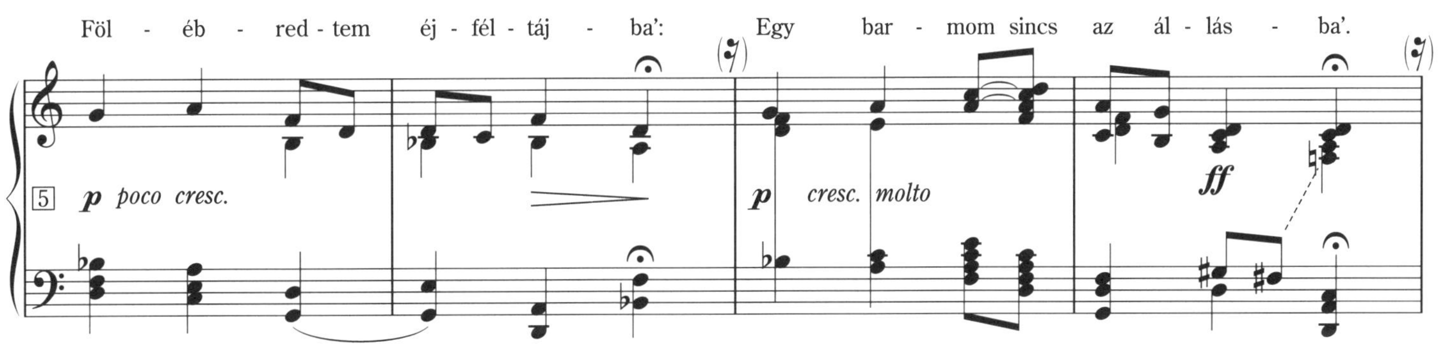

* Ein altungarisches Volkslied 오래된 헝가리 민요

V

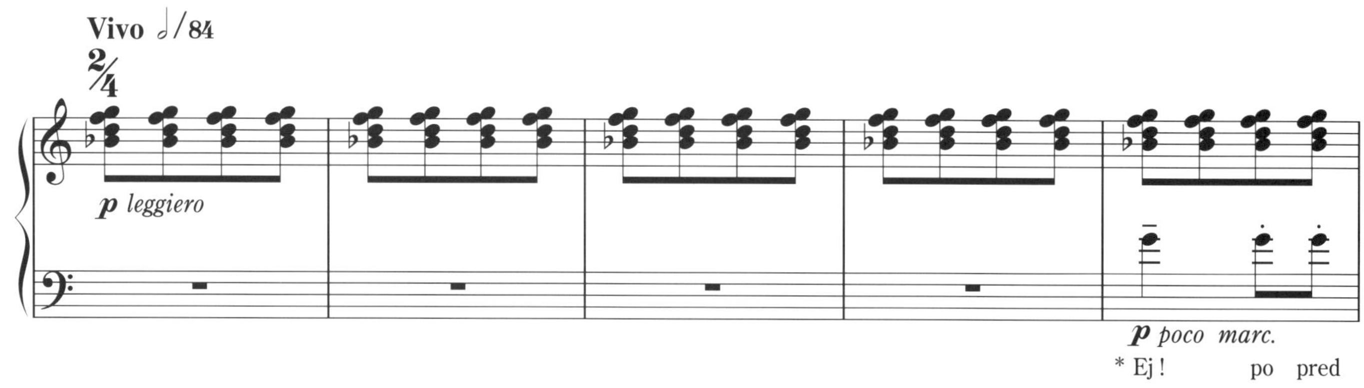

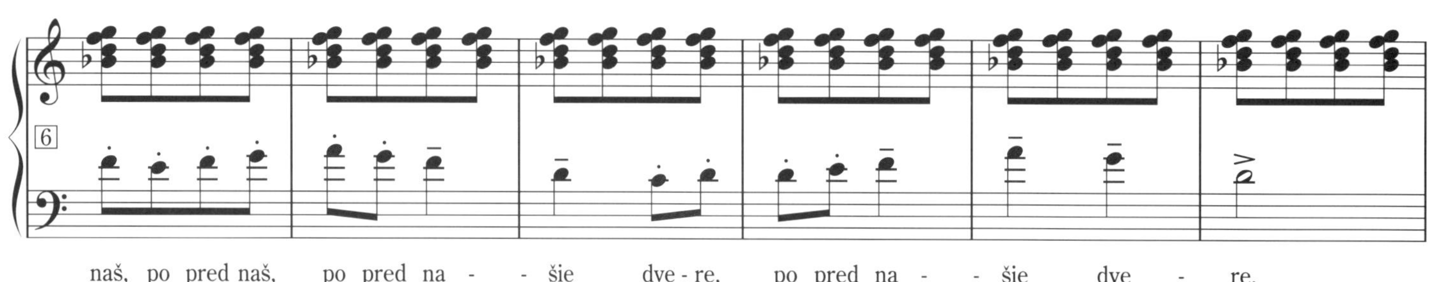

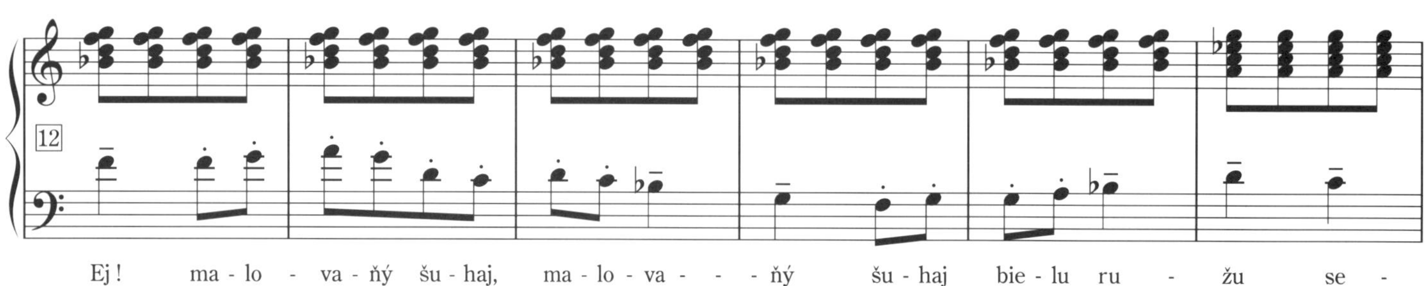

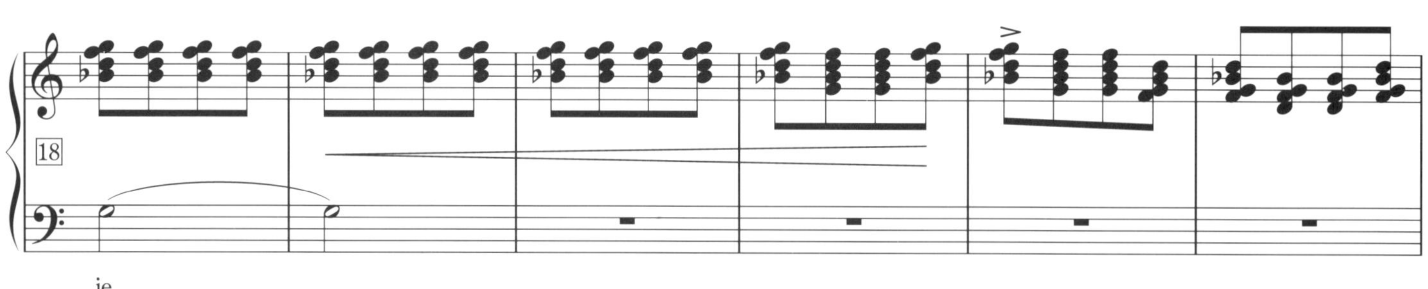

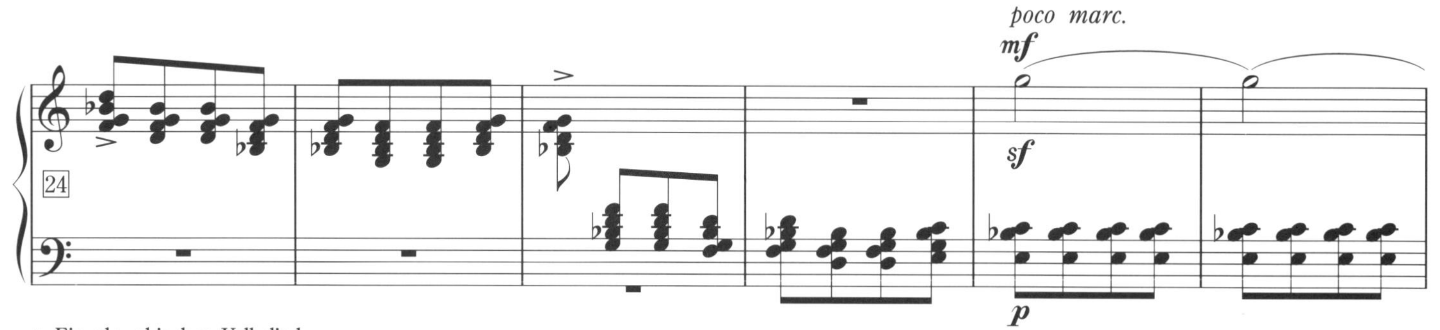

* Ein slowakisches Volkslied

30
poco sf
36
42
48
mf
poco rubato
p
mf
54
sf

poco
rit.
a tempo
60
sf
sf
66
cresc.
sf
poco rit.
a tempo
8
72
mf
sf
8
78
dim.
84
p
pp
pp

VI

Lento ♩/69
p poco espress.
ritard.
a tempo
poco espress.
poco cresc.
dim.
p
pp
sempre dim.
smorzando
ppp

VII

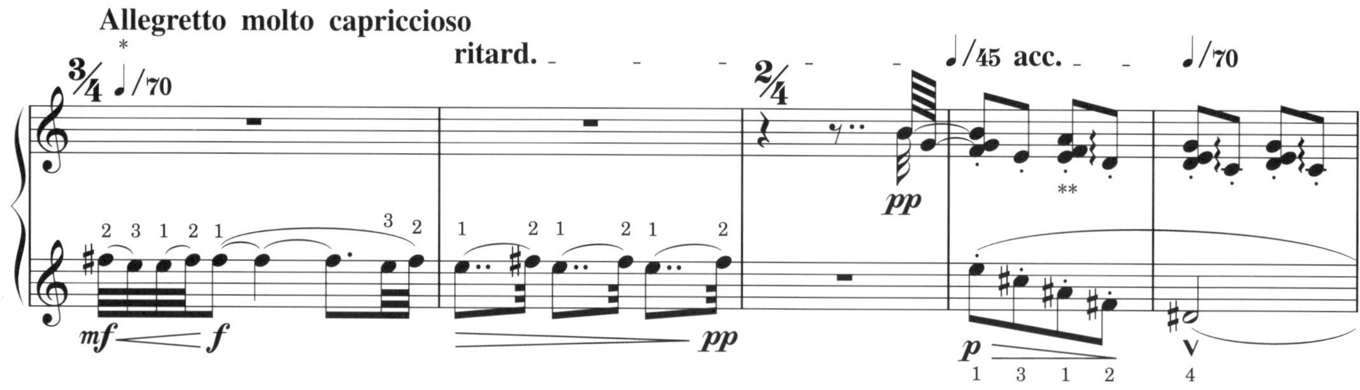

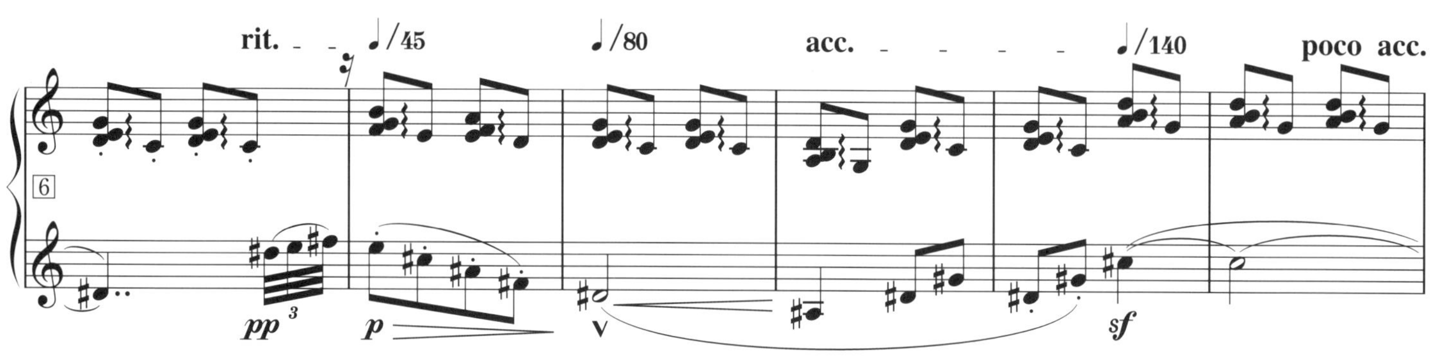

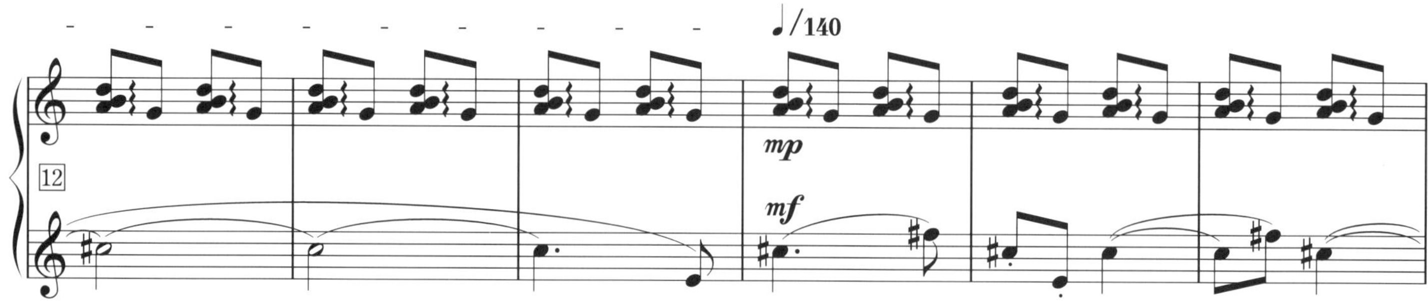

* Ha a tempójelző szám előtt nincs *rit.* vagy *acc.*, akkor hirtelen belépő tempóváltozást jelent.
(템포 지시 앞에 적힌 *rit.*와 *acc.*를 엄수할 것)

** 

♩/120 rit.
♩/100
poco rit.
24
dim.
pp
p
rit. molto
♩/120 rit.
♩/180
30
pp
p
5
1 3 2 1 3 2
♩/120 rit.
36
cresc.
♩/80
poco rit.
♩/120 rit.
42
pp
p
♩/70
rit.
48
calando

poco a poco accel.
molto
54
poco a poco cresc.
♩/200
60
f
sf
accel.
♩/208
66
sf
72
sf
cresc.
poco rit.
al
♩/184
78
ff

84
90
sempre ff
♩/208
con fuoco
97
♩/88
molto dim.
espress.
rit.
p
pp
♩/132
sempre
m.g.
m.d.
105
ritard.
112
con molto sentimento

VIII

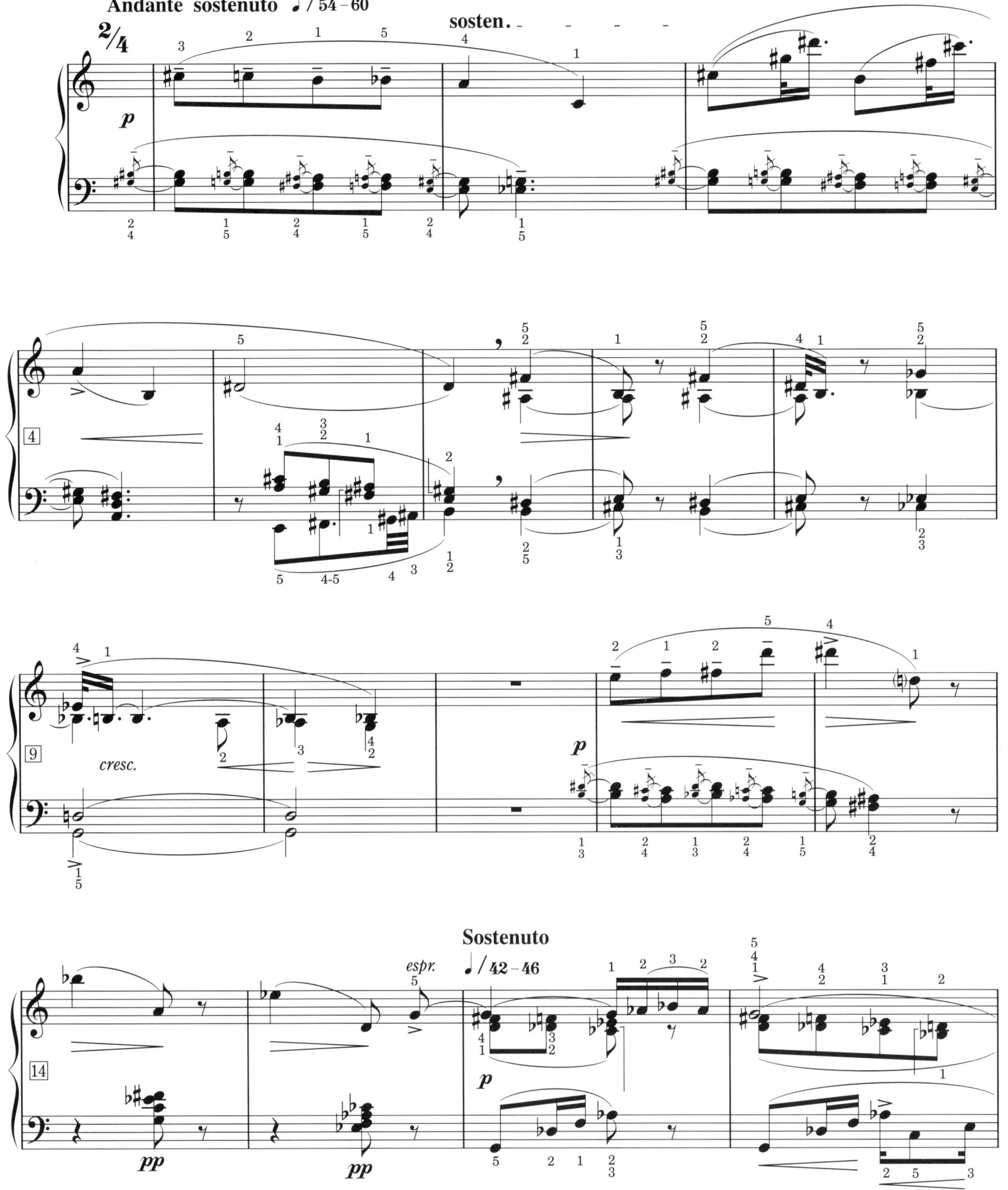

3/4
2/4
18
3/4
20
poco agitato
f
2/4 poco rit.
Più sostenuto ♩/36
23
mp
26
[♮]
dim.
3/4
[♮]
Ritenuto
2/4
28
p dolciss.

IX

Allegretto grazioso
mf
leggiero
Molto sostenuto
f pesante
Tempo I
p
cresc.
f
mf

24
cresc.
poco rit.
a tempo
dolce
grazioso
28
poco accel.
leggiero
32
non rit.
Molto sostenuto
Tempo I
36
pp
f
mp
sf
41

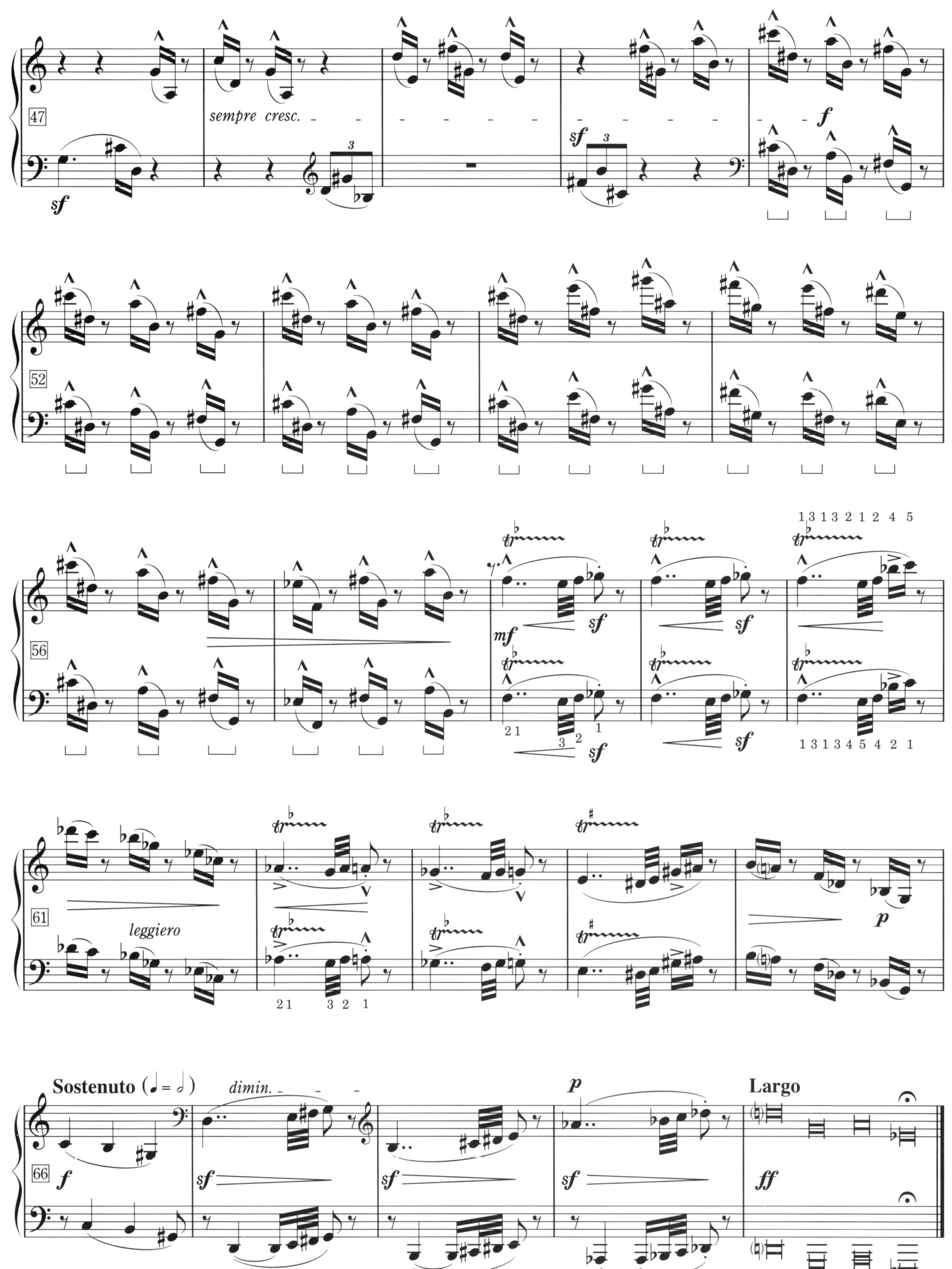
47
sempre cresc.
sf
f
52
56
mf
sf
61
leggiero
p
Sostenuto
dimin.
66
Largo
ff

Allegro 𝅗𝅥 / 92

f molto marcato

dolce

p

cresc.

sf

f

sff

ff

sf

ritard.

sforzato

dim. molto

a tempo
23
p
poco espress.
p
p
cresc. molto
rit.
28
sff
molto dim.
sf
a tempo
32
p
cresc.
p
36
leggiero
mf
40
cresc.

3/2
2/2
44
f
48
sf
52
sf
ff
1/2
2/2
56
sf
sf
60
ff

3/2
sf
63
6
sf
f
1/2
2/2
66
70
74
cresc.
ff
sf
78
pesante
ff
sempre Pedale

1/2
2/2
*
82 sf
sempre ff e molto marcato
3/2
2/2
86
90
94
521
52
fff
Poco ritenuto
98
* 주법

XI

Allegretto molto rubato 𝅗𝅥/56
accel. molto
𝅗𝅥/69
p
poco rit.
𝅗𝅥/56
molto accel.
8
poco rit.
𝅗𝅥/56
poco rit.
a tempo
16
molto accel.
cresc.
23
𝅗𝅥/84
ritard.
molto
♩/84
Sostenuto molto
30
f
sempre f

♩/69 Più sostenuto poco rit. ♩/69 a tempo *espress.* sempre accel.

40 *pp dolce* *cresc.*

Vivo 𝅗𝅥/69

48 *f*

56 *sf* *più f* 𝅗𝅥/76 *p*

𝅗𝅥/56 Tempo I accel. 𝅗𝅥/69

64

Tempo I (*subito*) ♩/92–100 *molto espress.*

71 *mf*

𝅗𝅥/60

80 *p*

XII

* Fokozatos gyorsulás, melyben a hangok száma ne legyen meghatározott (későbbi hasonló ütemekben épúgy)
(연타음은 정해진 수만큼 치는 것이 아니라 차츰 빨라지도록 유사한 곳도 같은 방법으로 연주한다.)

** ausgedehnt (조금 느리게)

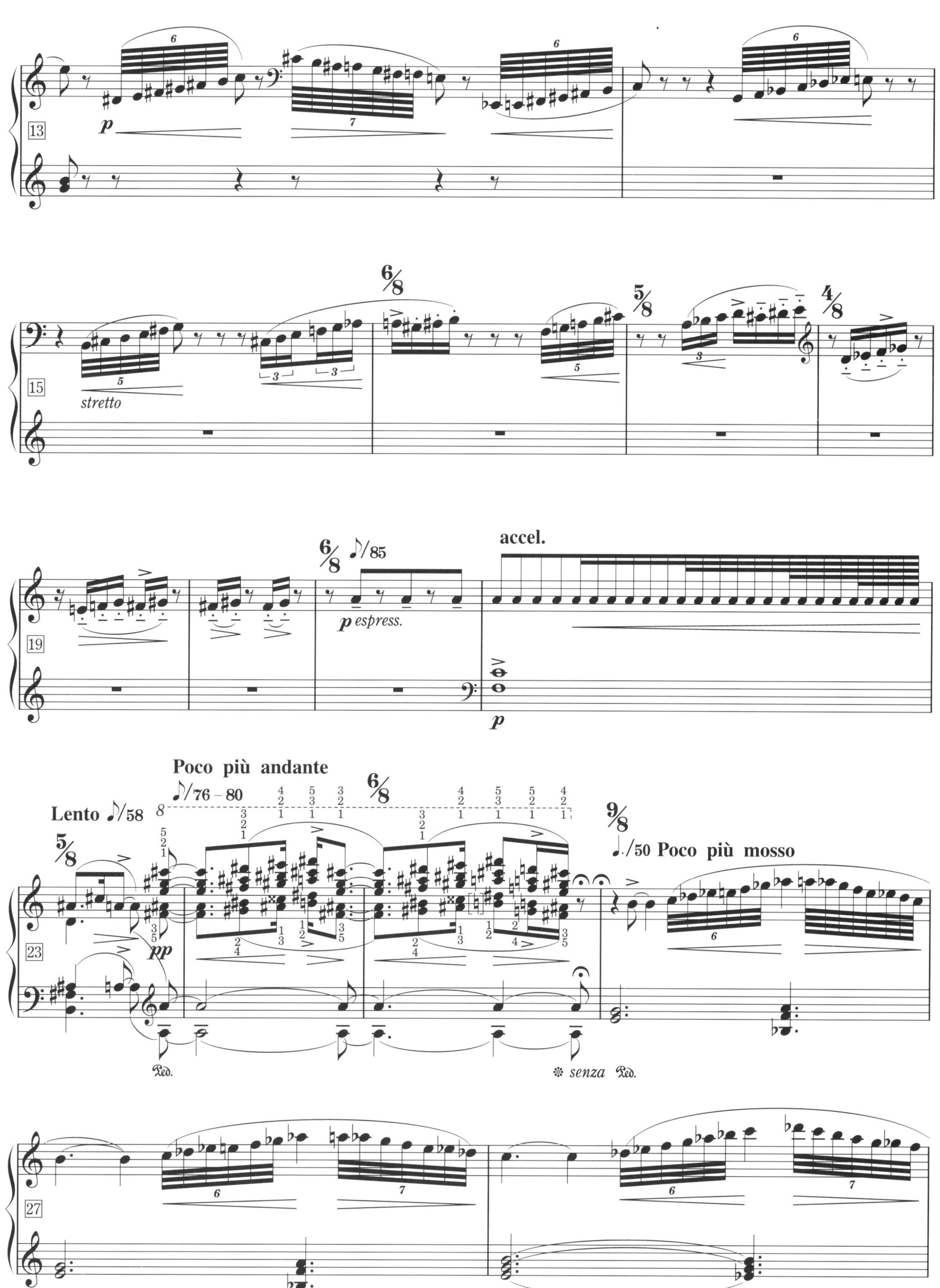
p
stretto
♪/85
accel.
p espress.
p
Poco più andante
♪/76 – 80
Lento ♪/58
♩./50 Poco più mosso
pp
Ped.
senza Ped.

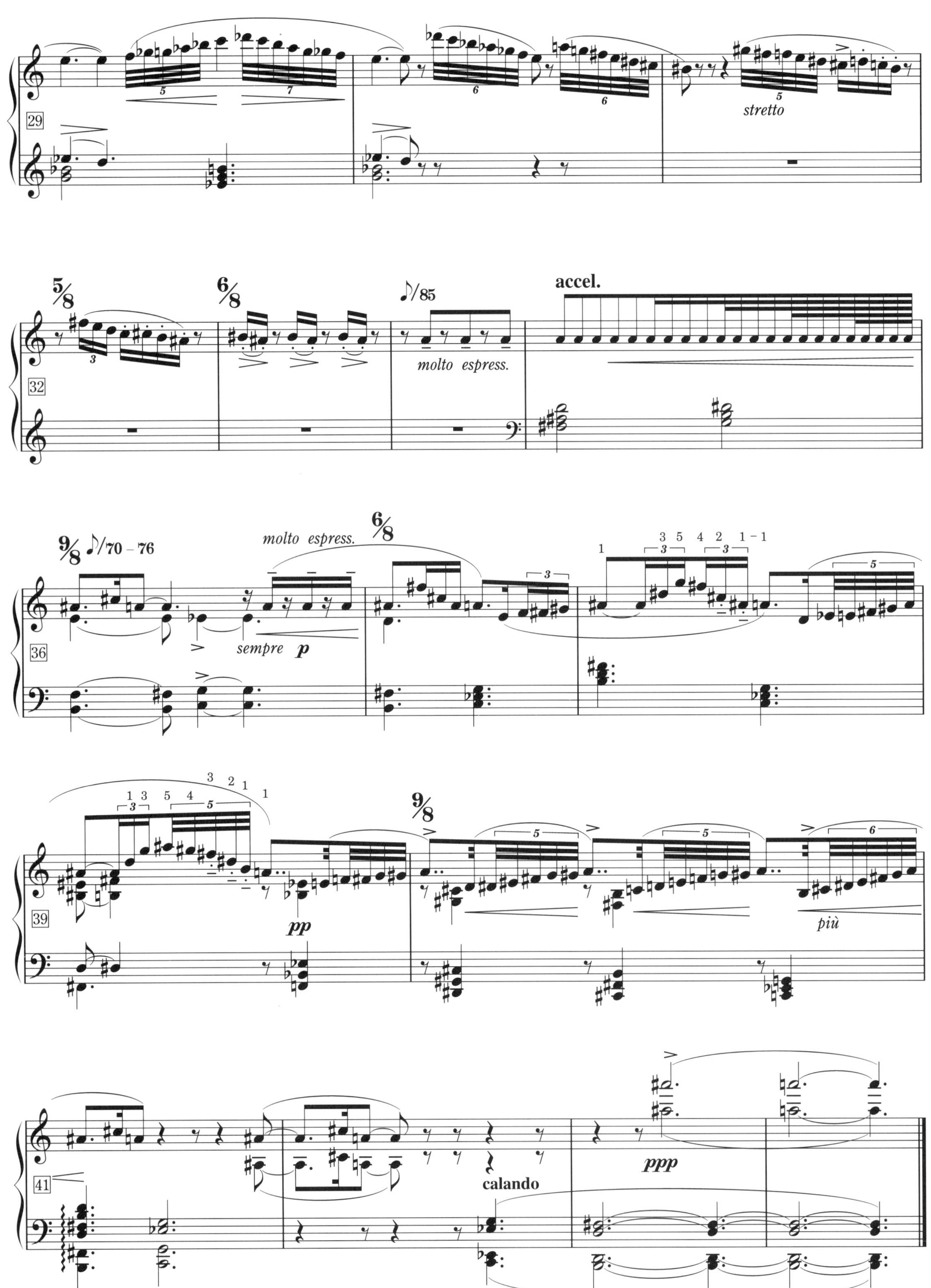
29
stretto
5/8
6/8
♪/85
accel.
32
molto espress.
9/8 ♪/70 – 76
molto espress.
6/8
36
sempre p
39
9/8
pp
più
41
calando
ppp
pp
ppp

XIII

(Elle est morte...)*

* 그녀는 죽었다...

XIV
VALSE
(Ma mie qui danse...)*

* 내 연인은 춤춘다...

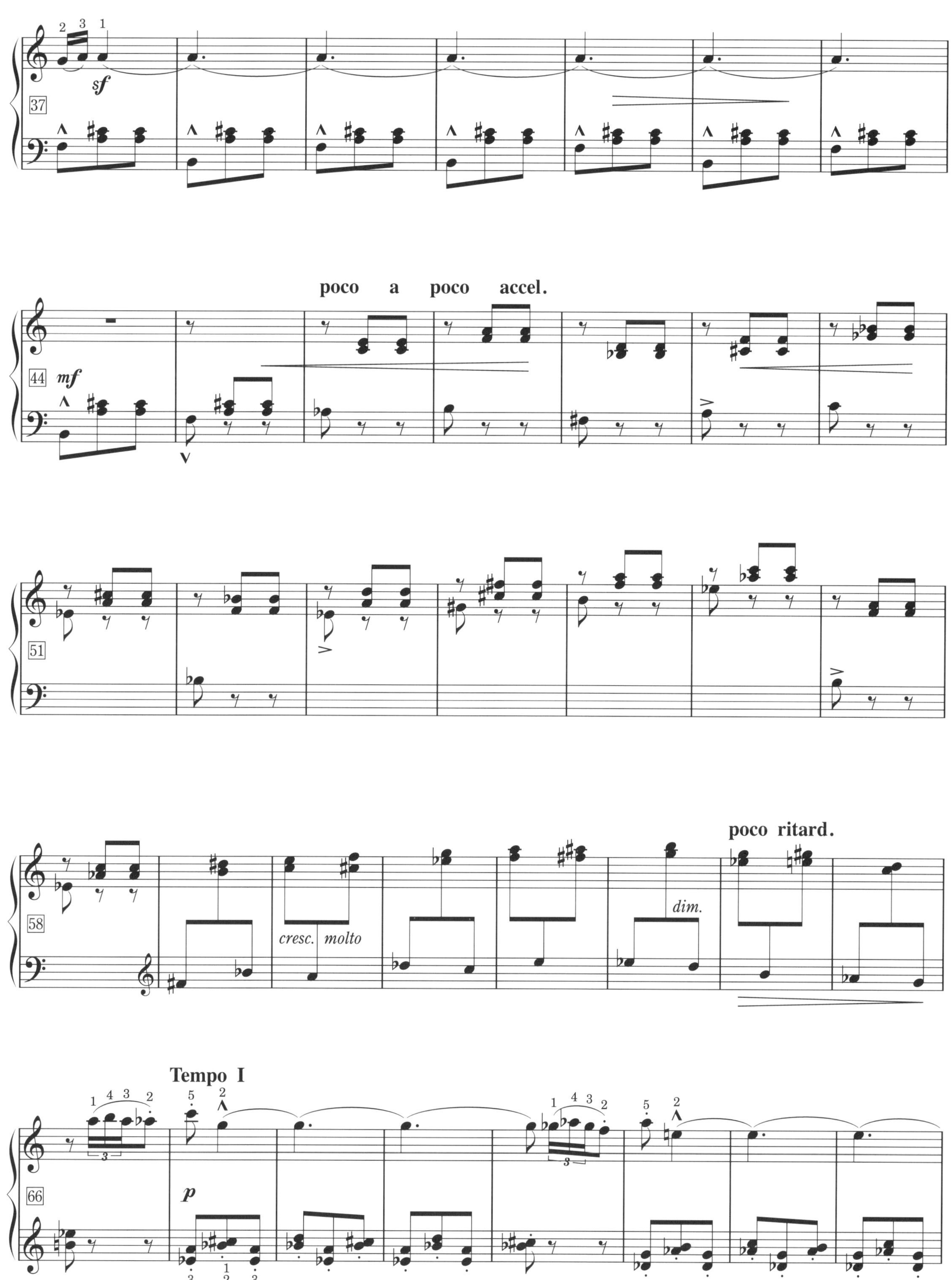
37
sf
44
mf
poco a poco accel.
51
58
cresc. molto
dim.
poco ritard.
Tempo I
66
p

74
poco largo ♩/120
81
f
dim.
poco a poco accel.
a tempo
88
p
95
102

poco largo
a tempo
dim.
poco accel.
♩./160
ff dim.
cresc.
♩./176
poco rit.
pp

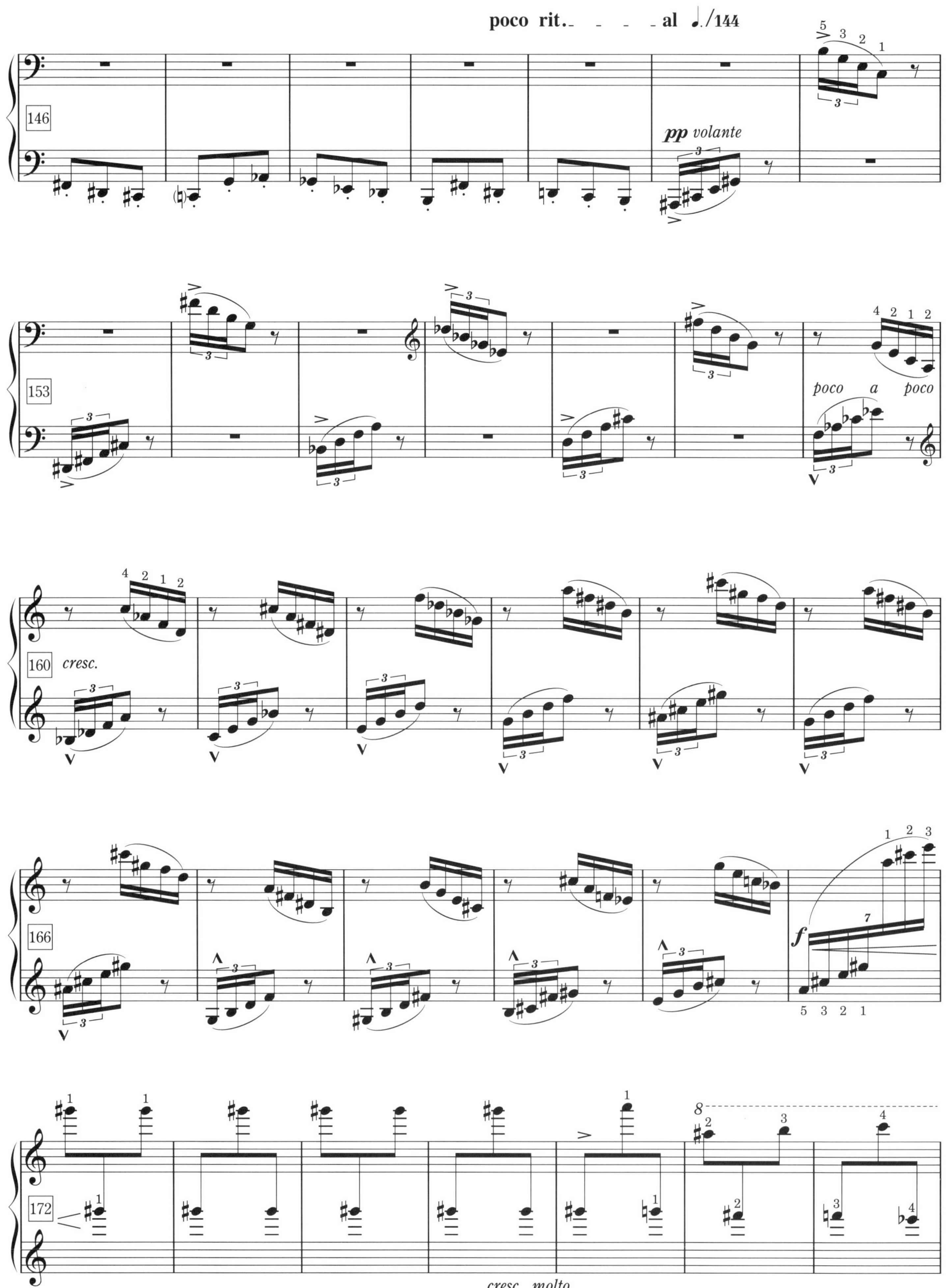
poco rit. al ♩./144
146
pp volante
153
poco a poco
160
cresc.
166
172
cresc. molto

179
ff
sf
186
193
dim.
200
p
pp
1
2
210
mf
fff marcatissimo

Seven Sketches

7개의 스케치

Op. 9b

I

(Portrait of a Girl)*

* 한 소녀의 초상

Sostenuto
mf molto espr.
mf
pp ma
34
mf
mf
sempre molto espressivo
41
sempre cresc. e poco a poco allargando
47
8
8
(lunga)
f
Poco meno mosso
poco espr.
p
3
53
3
[>]
rit.
a tempo (non ritardando)
59
p semplice

II

(See - saw)*

Comodo ♪= 125

4/8

p

mp

6

9 *mf* *molto dim.* *p* *pp*

14 *p* **poco rit.** *dim.* *ppp* **a tempo** *mf* *non legato*

18 **rit.** *p* *mp* *cresc.* *f*

* 시소놀이

III

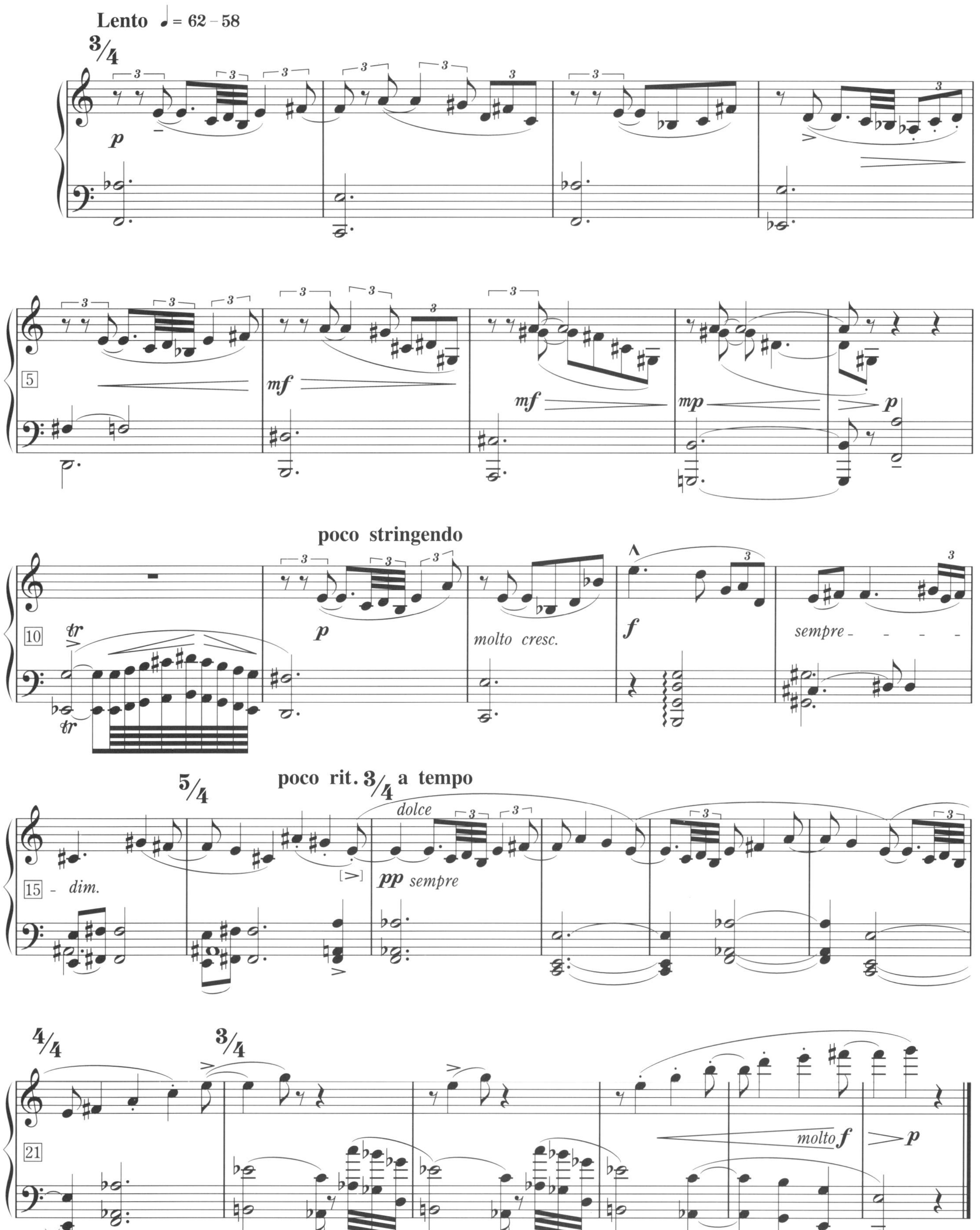
Lento ♩= 62 – 58
3/4
p
5
mf
mf
mp
p
poco stringendo
10
p
molto cresc.
f
sempre
5/4
poco rit. 3/4 a tempo
dolce
15
dim.
pp sempre
4/4
3/4
21
molto f
p

IV

Non troppo lento
♩= 54 – 50
p dolce
mp
p
poco a poco più sosten.
cresc.
poco f
f
molto sostenuto
rubato
mf
cresc.
molto ritard.
f

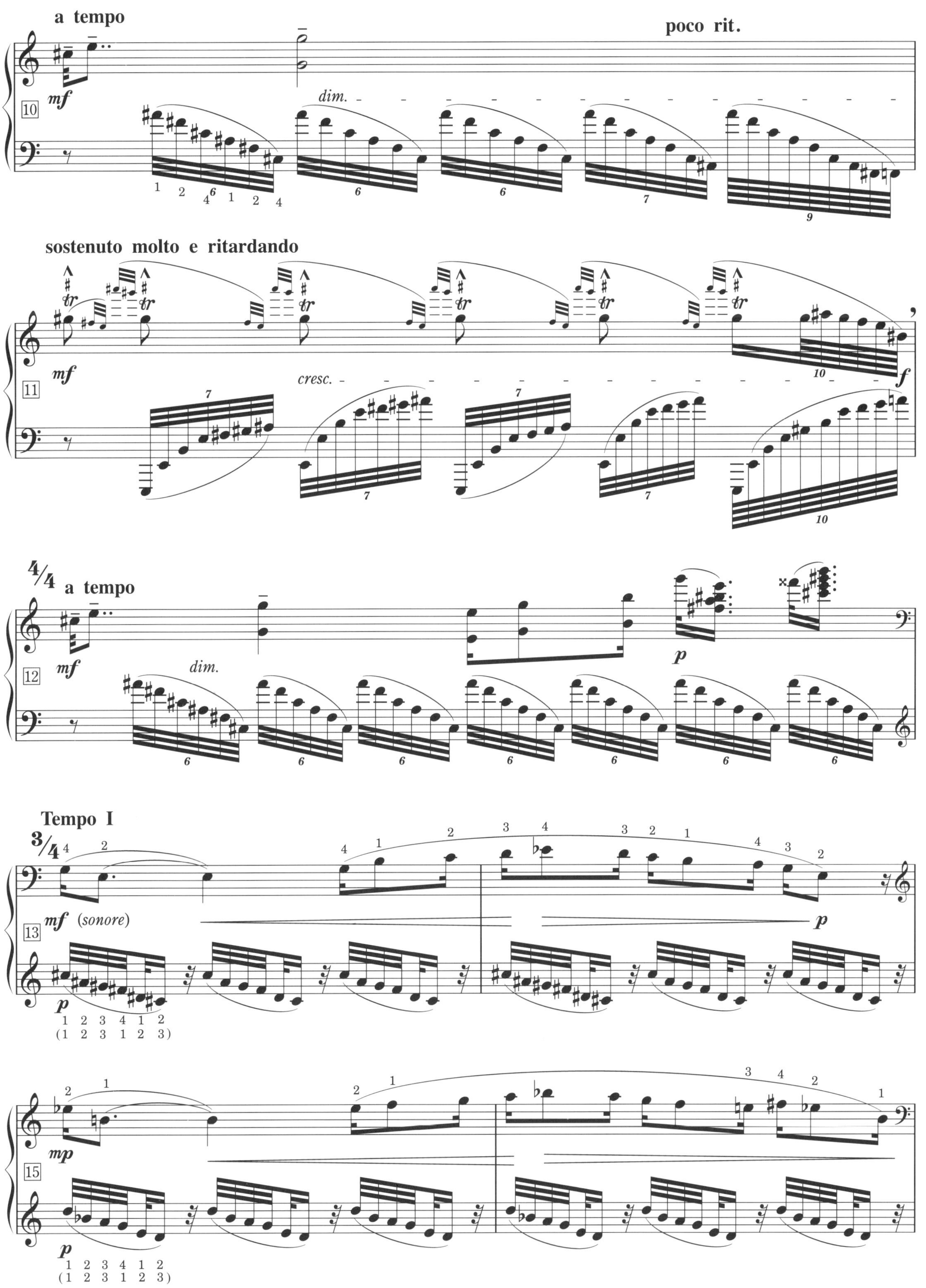
a tempo
poco rit.
mf
dim.
sostenuto molto e ritardando
mf
cresc.
f
4/4 a tempo
mf
dim.
p
Tempo I
3/4
mf (sonore)
p
mp
p

5
2
mf
17
mp
1 2 3 4 1 2
(1 2 3 1 2 3)
19
p
2/4
3/4
mf
21
mp
mf
p
sf
f
27
dim.
mp
1
2
5
1
3
29

più p
31
2/4
3/4
poco f
p
33
sostenuto
poco rubato
cresc. mf dim.
mp
35
cresc. f dim.
molto sostenuto
mp
a tempo
mp
37
mf
poco rit.
f
dim.
espr.
espr.
a tempo
42
mezza voce
morendo

V

(Rumanian Folk-melody) *

* 루마니아 민요 선율

VI

(In Walachian Style)*

* 발라키아풍으로

VII

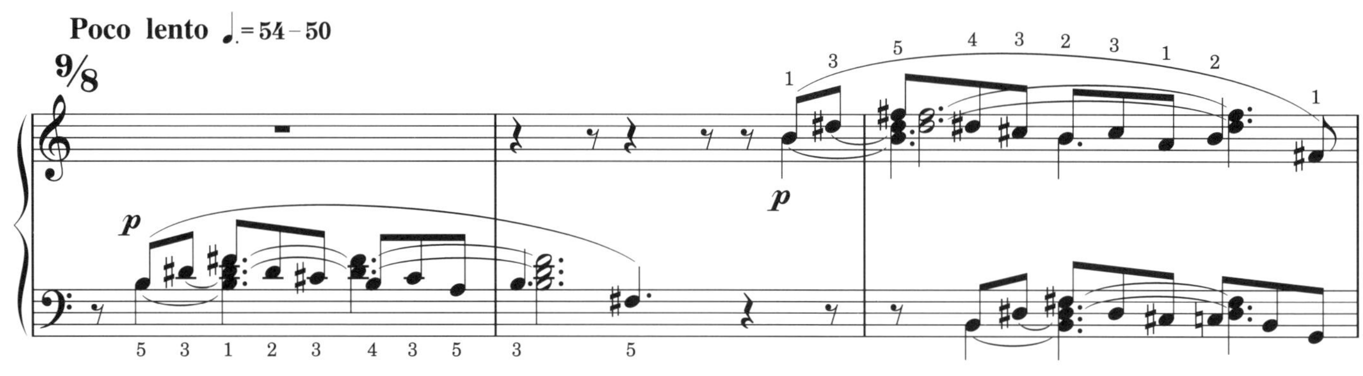
Poco lento ♩. = 54 – 50
9/8
p
p

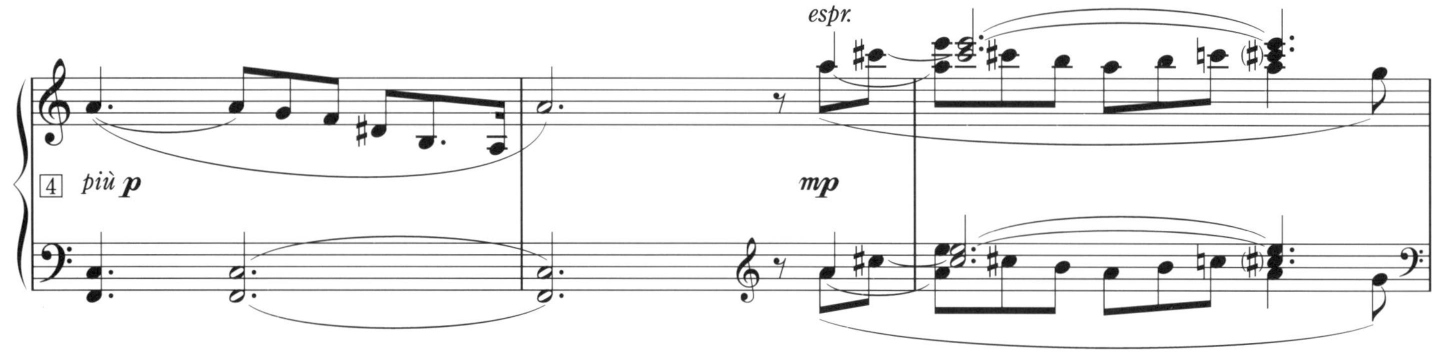
espr.
4
più p
mp

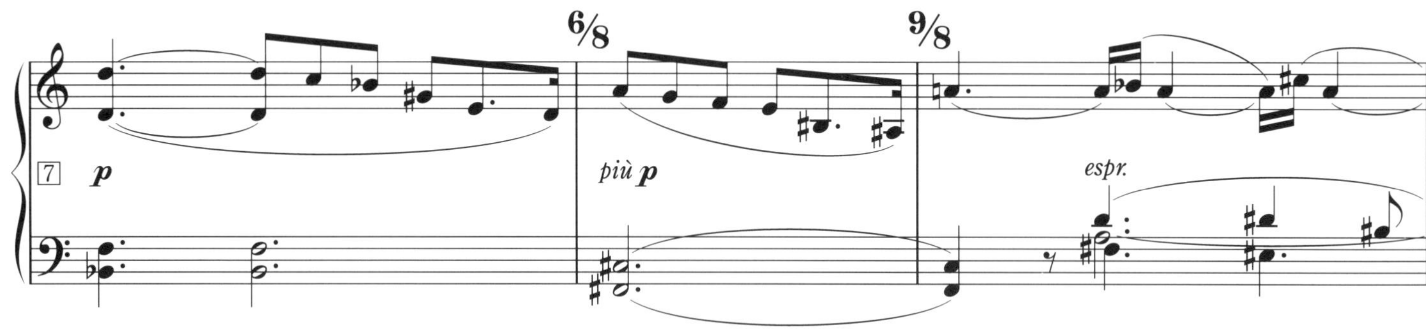
6/8
9/8
7
p
più p
espr.

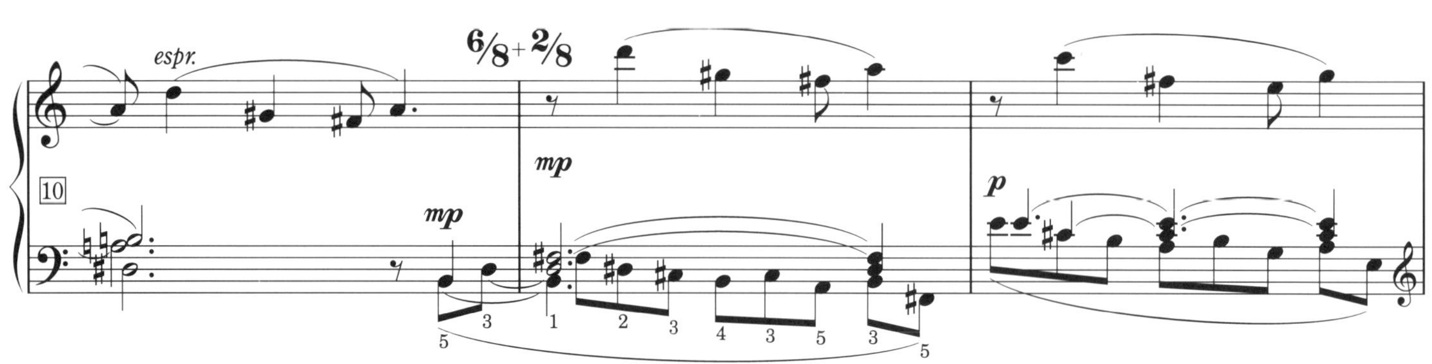
espr.
6/8+2/8
10
mp
mp
p

9/8
6/8+2/8
5/8
13
poco cresc.
dim.
7/8
16
mp espr.
mp espr.
18
6/8
20
poco f
mf
mp
8/8
22

Trois Burlesques

3개의 부르레스크

I

Op. 8c

(querelle)*

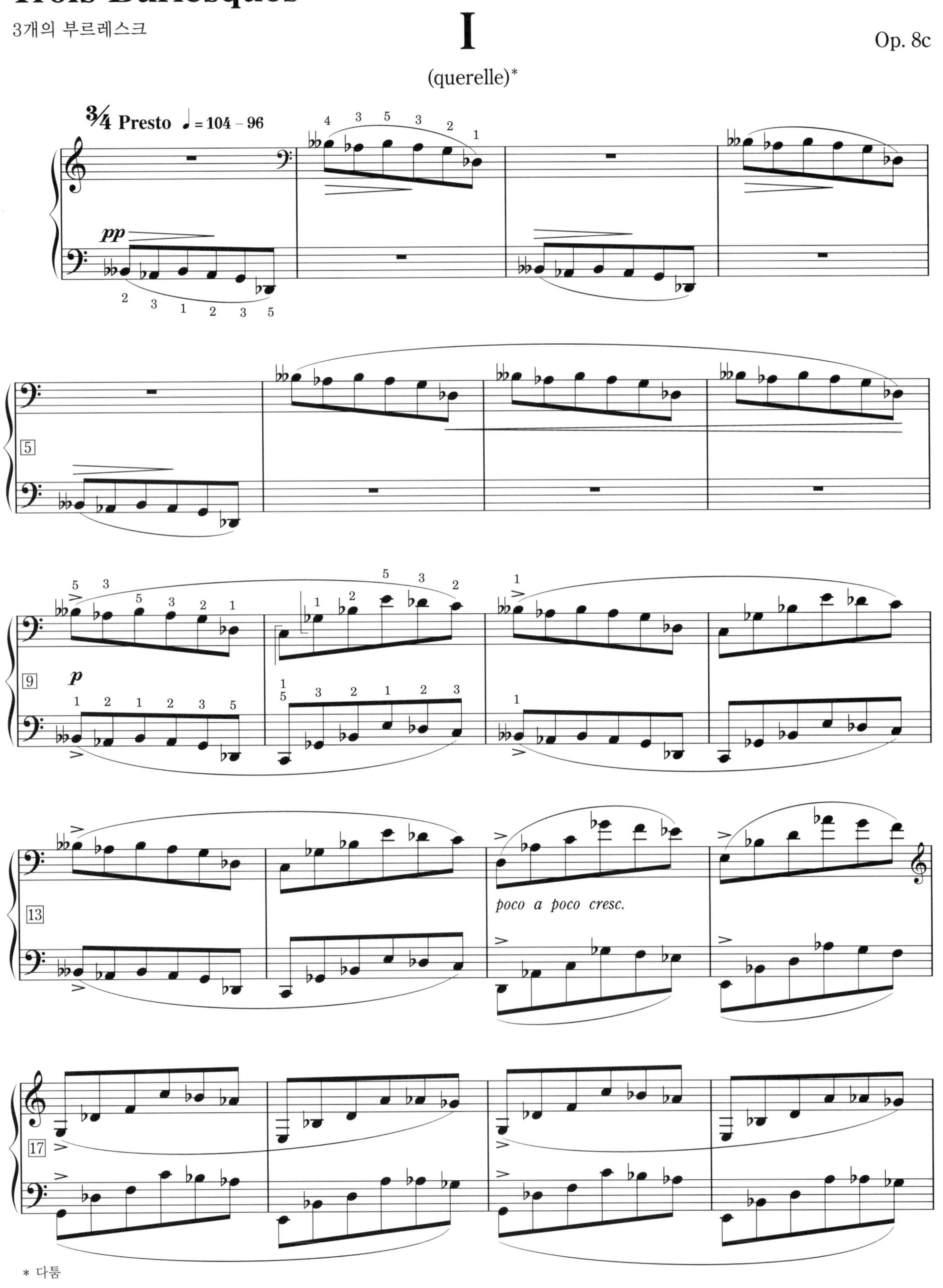

* 다툼

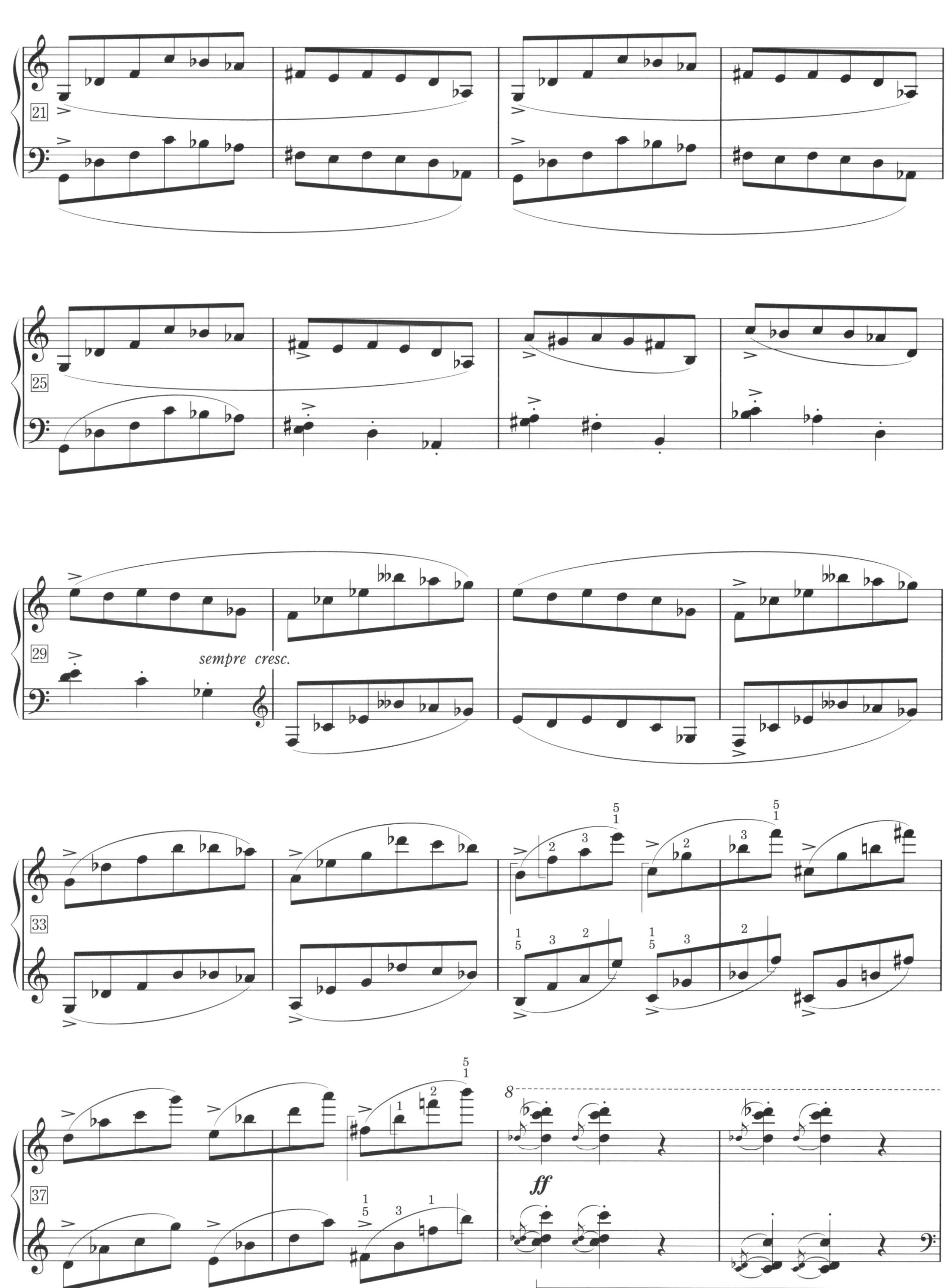
21
25
29
sempre cresc.
33
37
8
ff

41
f
45
ff
f
49
mf
leggerissimo
53
p
57

Meno vivo
p espress. molto
60
64
rit.
68
a tempo
72
p
76

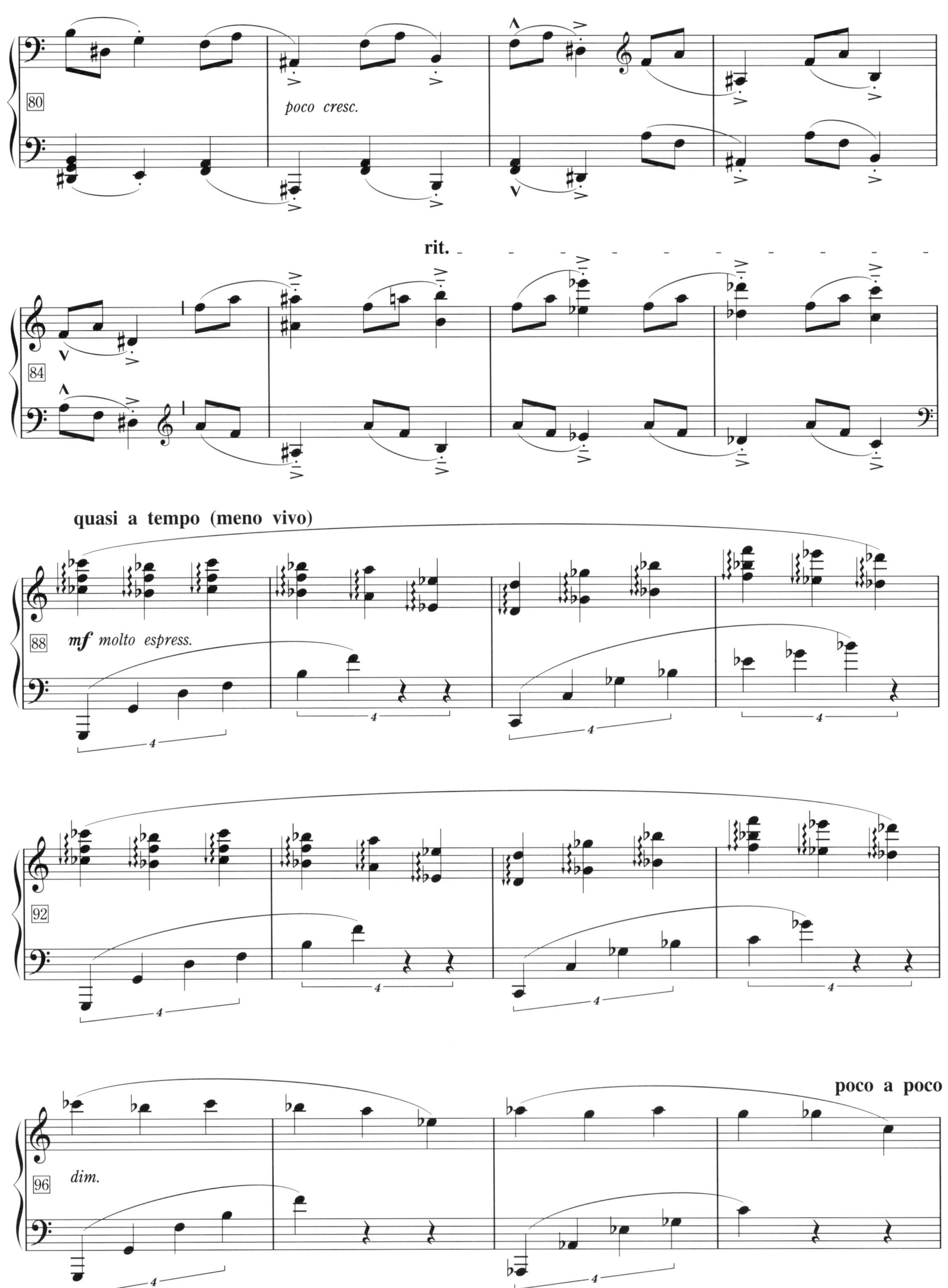
80
poco cresc.
rit.
84
quasi a tempo (meno vivo)
88
mf molto espress.
92
poco a poco
96
dim.

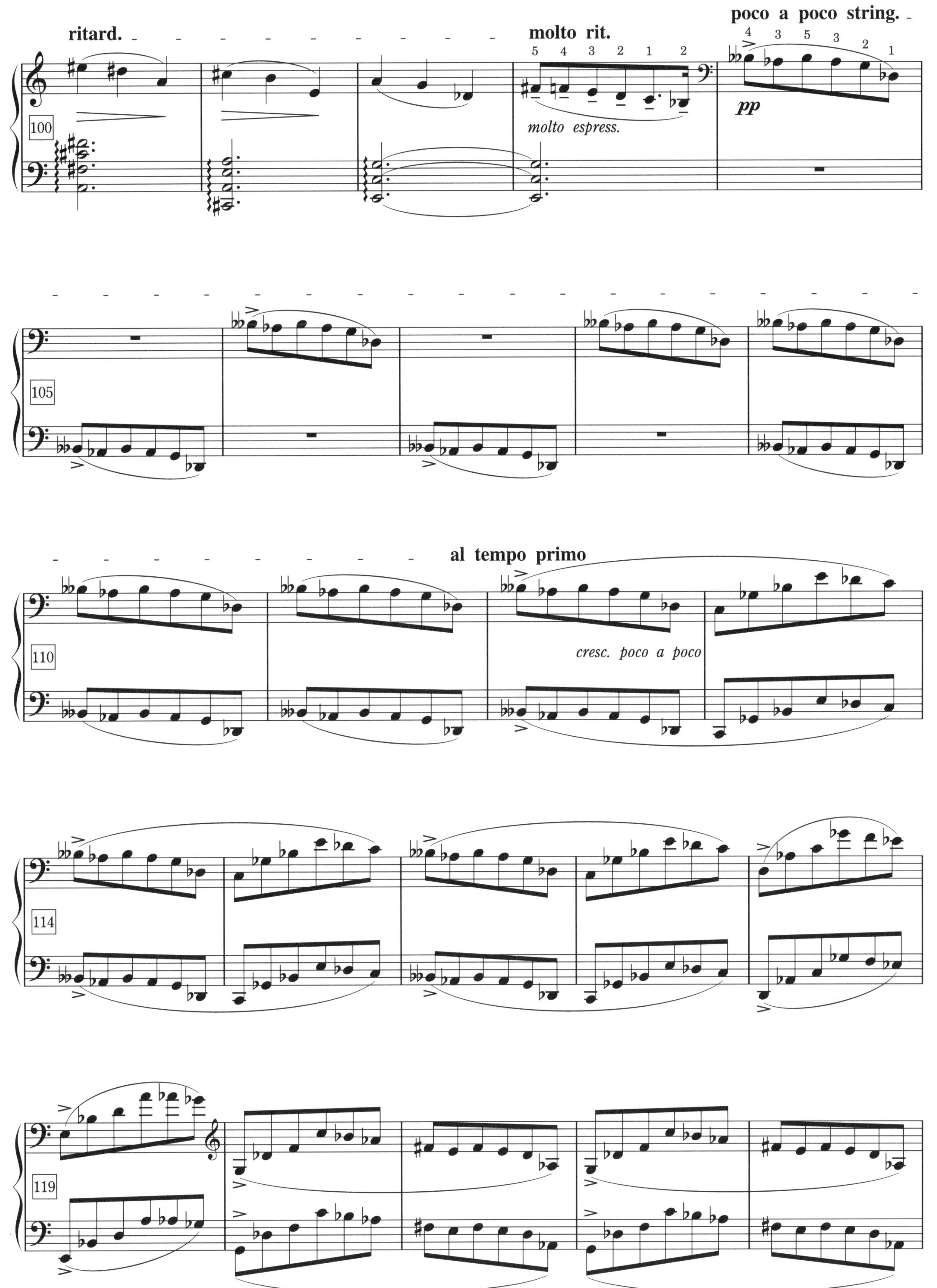
ritard.
molto rit.
poco a poco string.
100
molto espress.
pp
105
al tempo primo
110
cresc. poco a poco
114
119

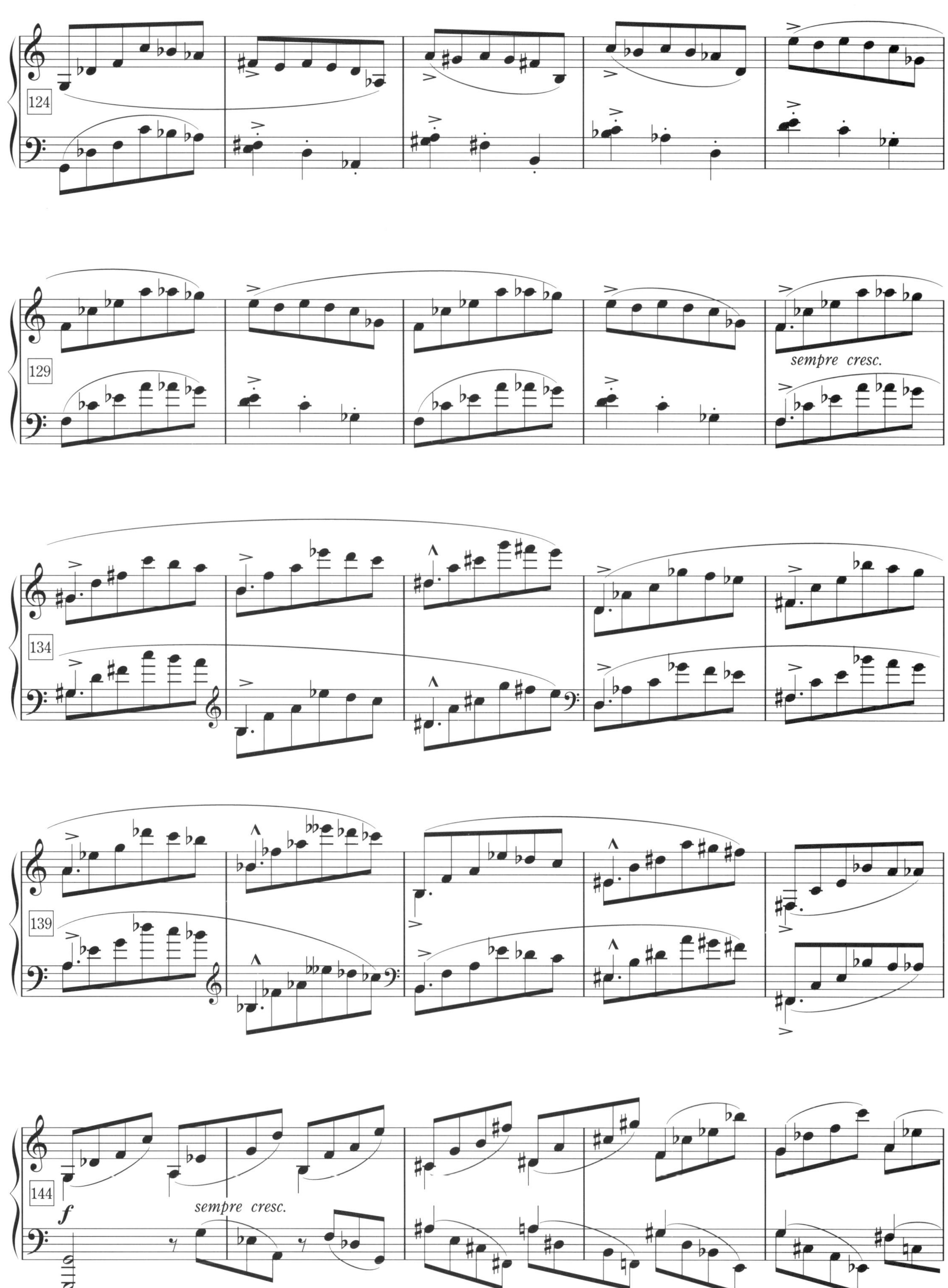
124
129
sempre cresc.
134
139
144
f
sempre cresc.

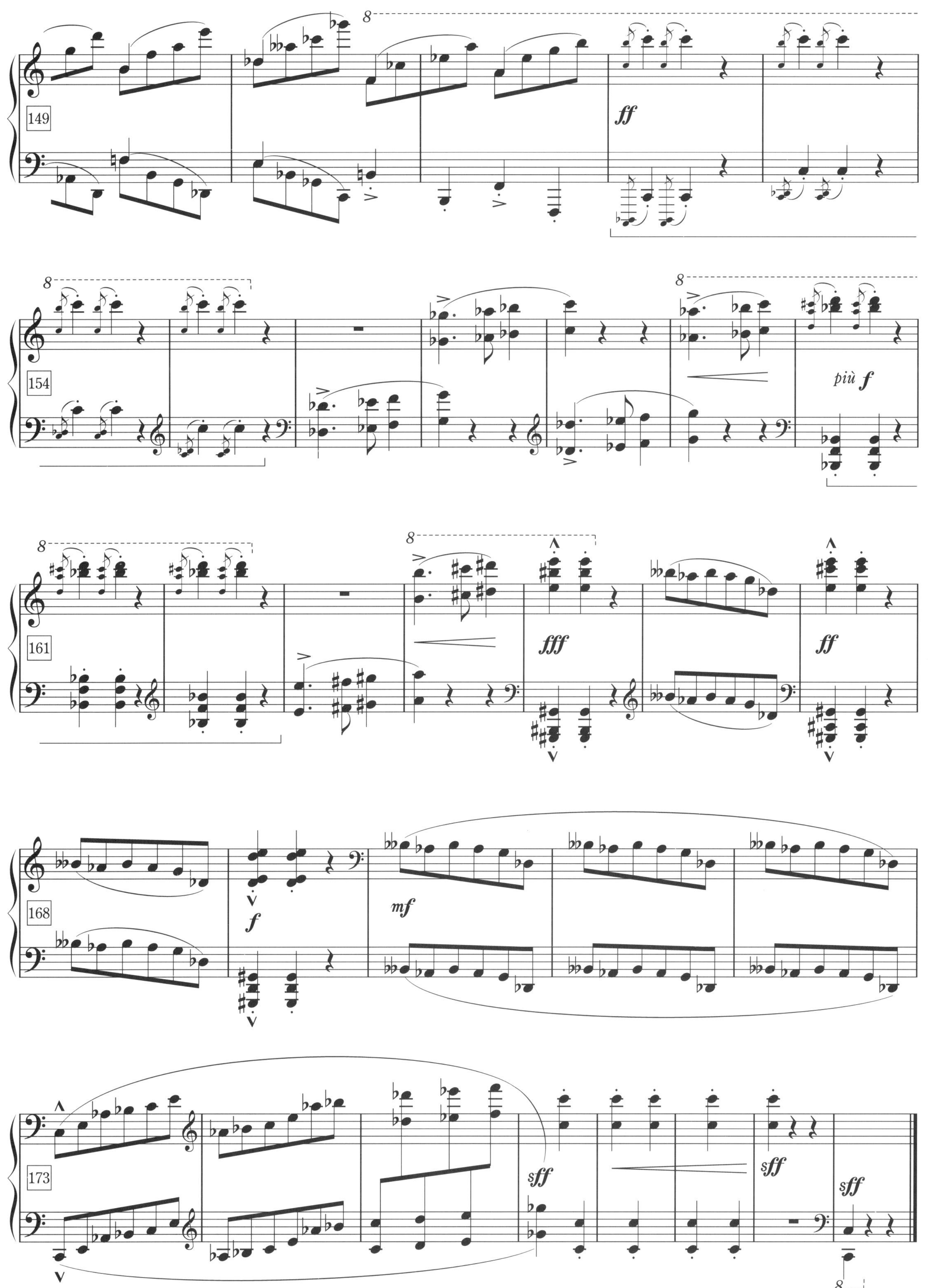
149
8
ff
154
8
8
più f
161
8
8
fff
ff
168
f
mf
173
sff
sff
sff
8

II

(un peu gris...)*

Allegretto ♩ = 104 – 112

mp rubato

3

mf

5

mp

7

mf

9

sf *sf* *sf*

molto cresc. *molto dim.*

* 거나한 기분

mp
mf
ruvido
mf molto espr.

espr.
21
cresc.
poco sostenuto
a tempo, ma sempre molto tranquillo
24
f
poco a poco dim.
27
p
sempre tranquillo
secco
31
sf
34
sf
sf
sf
sf
2/4
4/4

38
42
sempre pp
45
48
51
comodo, non rubato pp
poco sostenuto
mf

III

Molto vivo, capriccioso ♩. = 92
pp
leggiero
poco
sf
leggierissimo

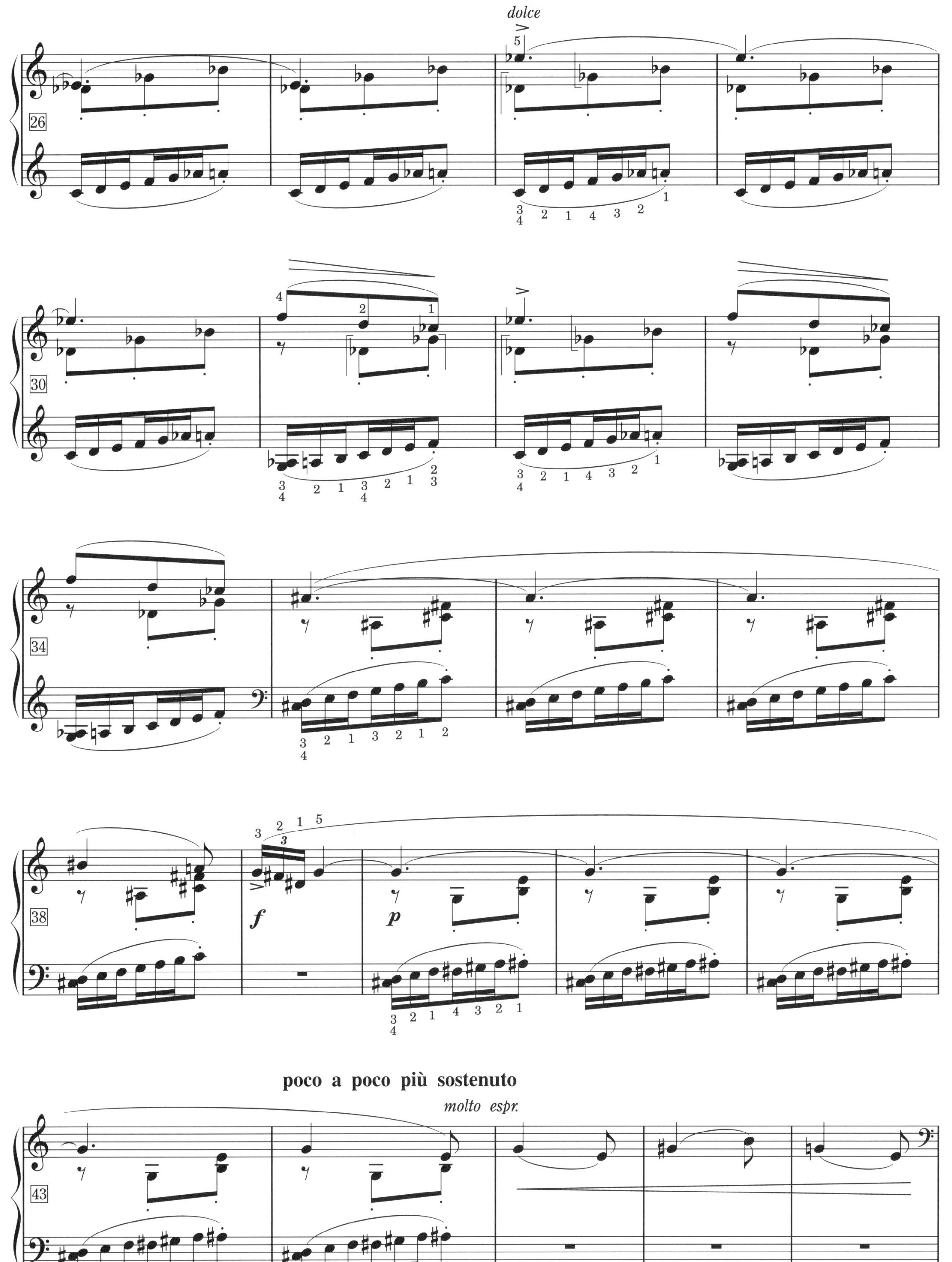
dolce
26
30
34
38
f
p
poco a poco più sostenuto
molto espr.
43

più sostenuto
mf
48
mf
1 2 3 4 5 4 3 2 1
56
5 2 5
2 1 3 4 3
2 5
Tempo I
sff
61
mp
66
mp
mf
70

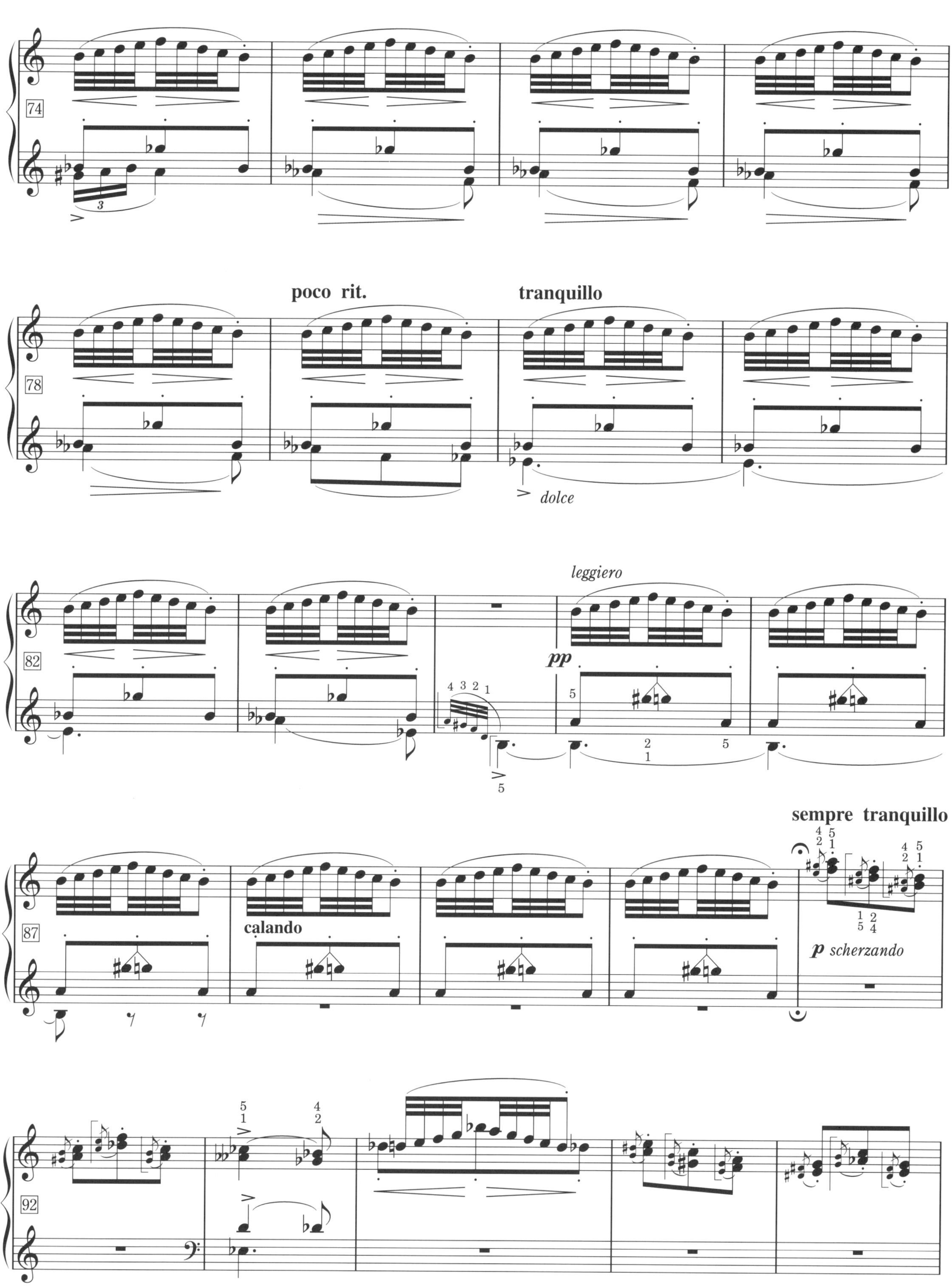
74
poco rit.
tranquillo
78
dolce
leggiero
82
pp
sempre tranquillo
87
calando
p scherzando
92

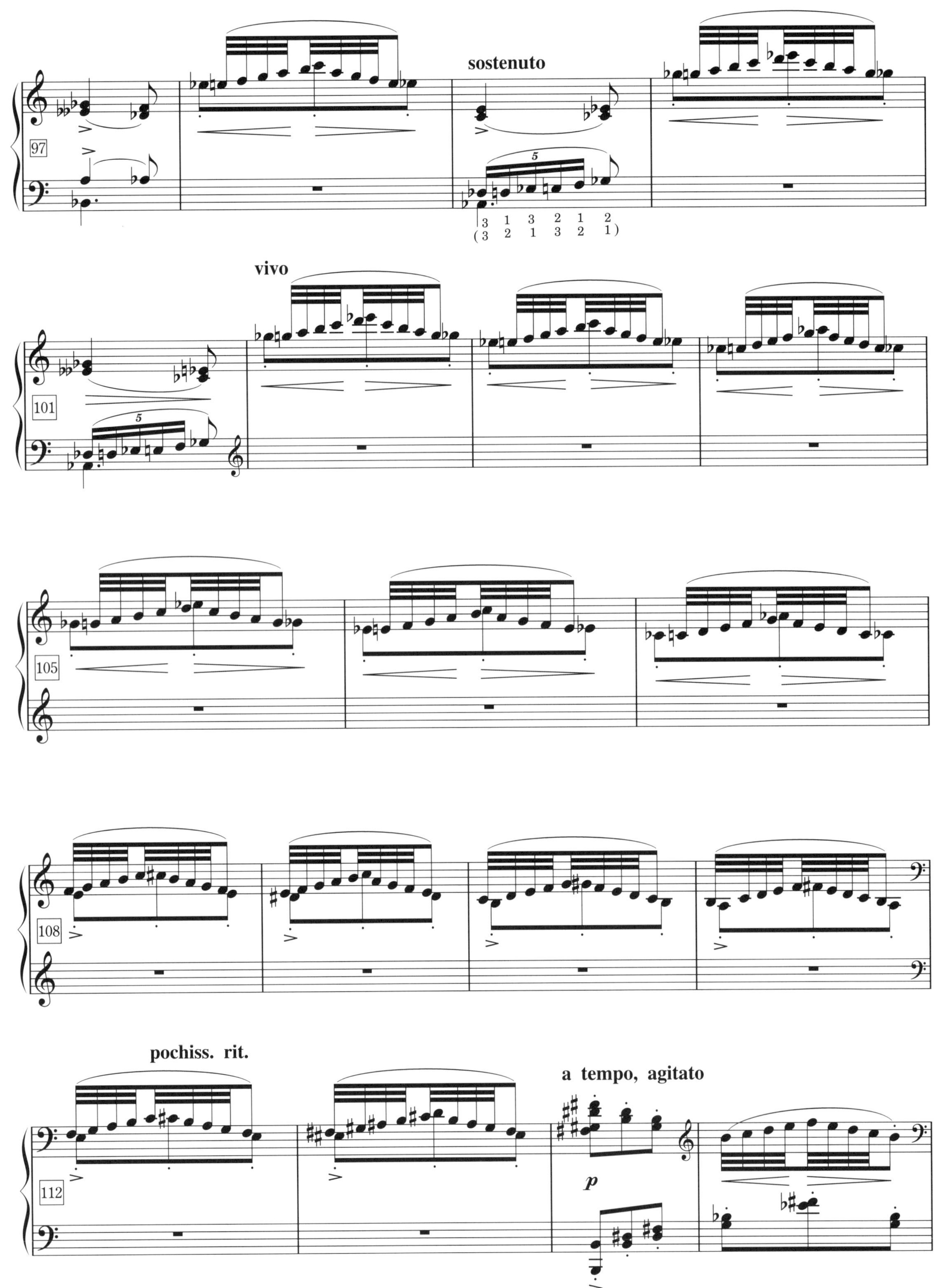
97
sostenuto
3 1 3 2 1 2
(3 2 1 3 2 1)
vivo
101
105
108
pochiss. rit.
a tempo, agitato
p
112

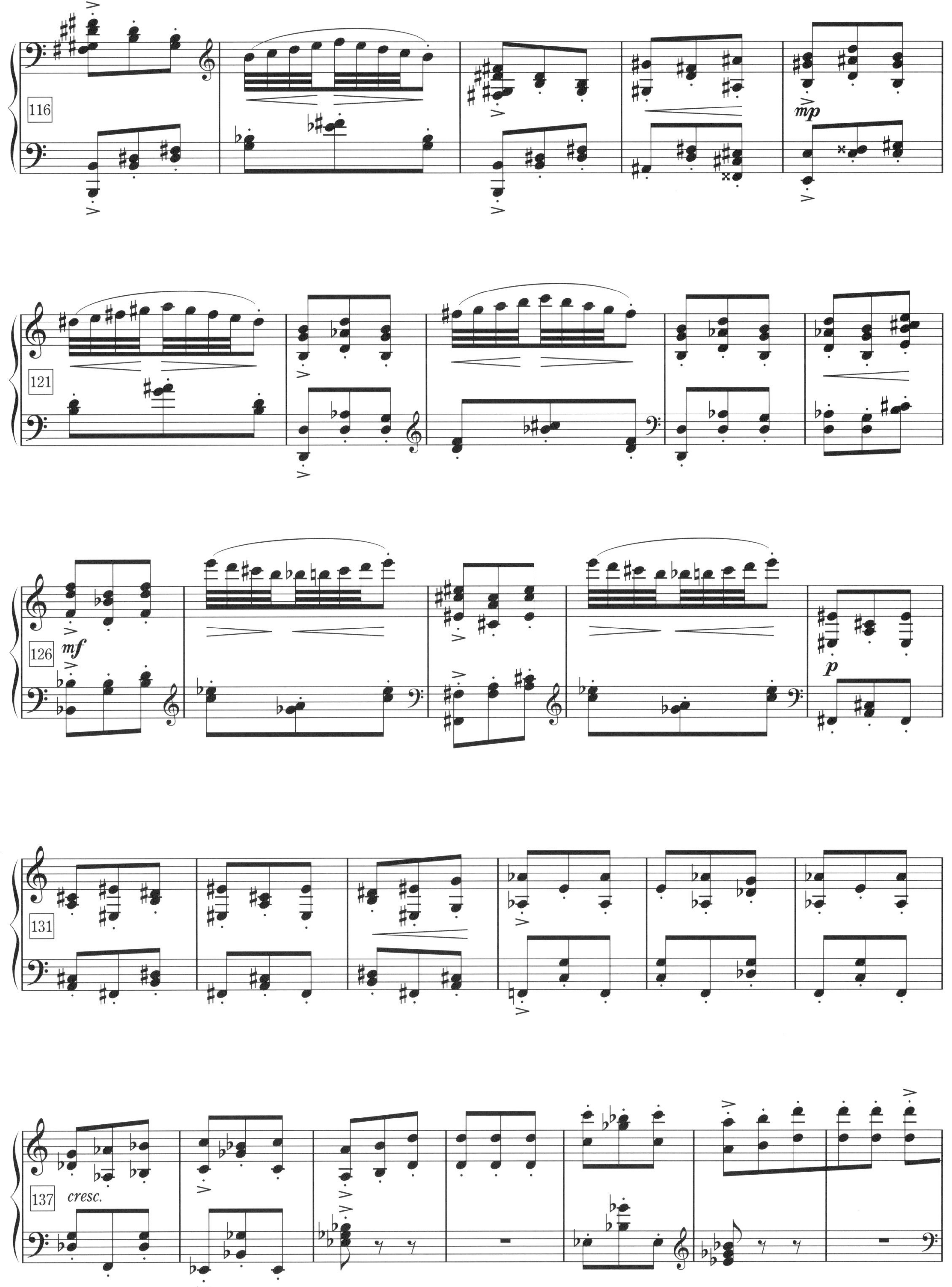
116
121
126
mf
p
131
137
cresc.
mp

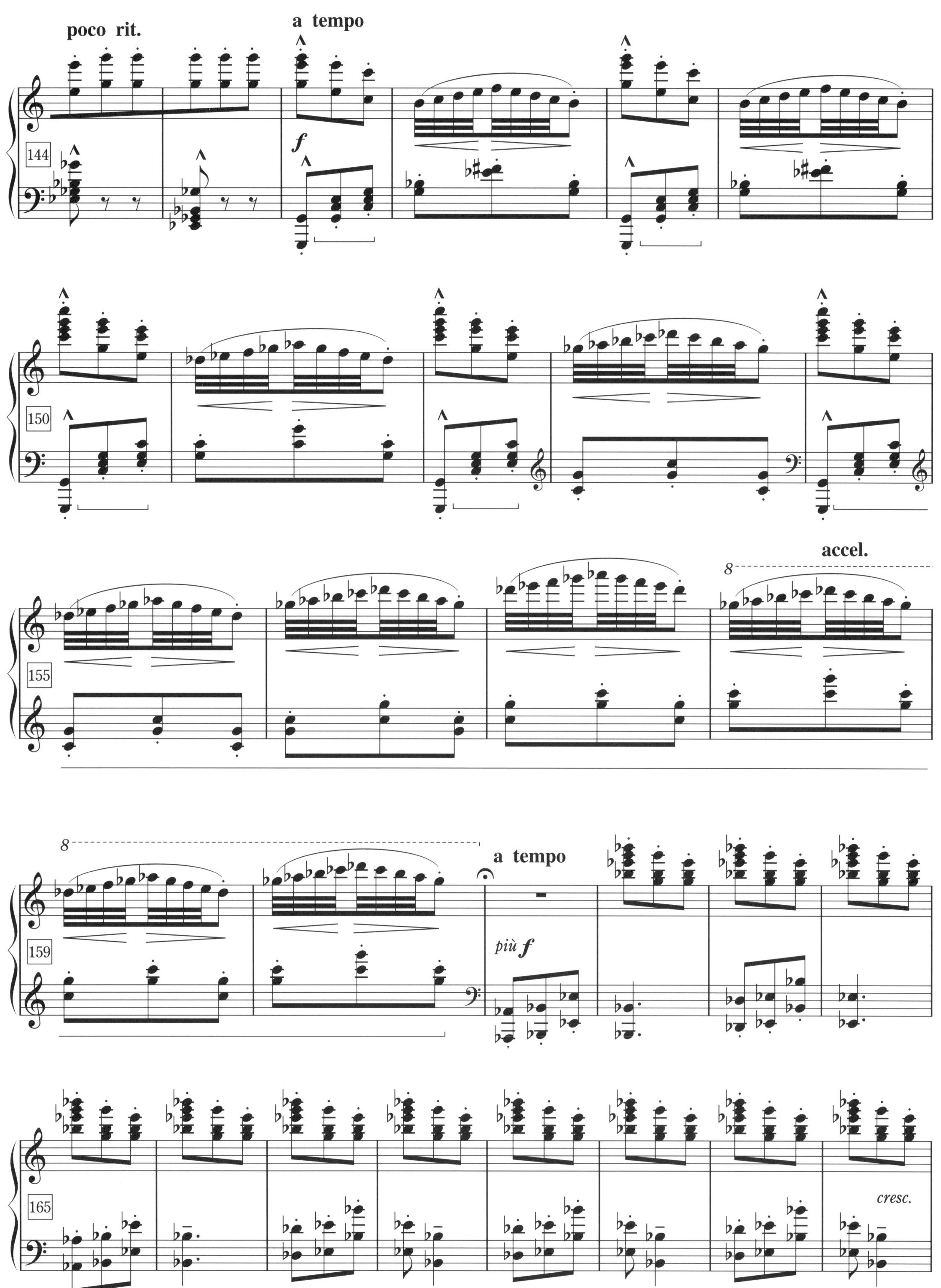
poco rit.
a tempo
144
f
150
155
accel.
8
159
a tempo
più f
165
cresc.

173
ff
p
f
179
p
mf
p
185
191
espr.
molto rit.
a tempo
p
197

Tanz-Suite

무용조곡

I

♩=100
al
♩=108
36
cresc. molto
Sostenuto ♩= 84
accelerando
al
42
f
sf
dim.
Tempo I ♩=92
rall. al Tranquillo ♩= 88
sf
48
mf
dim.
p
poco accel. (quasi rubato)
al
Più mosso ♩=98
56
Più tranquillo ♩= 84
poco accel.
64
poco rit.
Più mosso ♩=104
71
pp
p dolce

poco rit.
a tempo (♩=104)
cresc.
sf
mf
76
poco a poco accel.
(Ped.)
cresc.
poco allarg.
82
Vivo ♩=126
f
88
cresc.
94
poco allarg.
a tempo ♩=120 (più mosso)
sf
14
gliss.
ff
100
Ped.
ossia
7
sf
Ped.

rit.
al
Tempo I (tranquillo) ♩= 92
105
f
mf
dim.
p
sempre più tranquillo
111
ritard.
a tempo
rall.
Ritornell
Tranquillo ♩=104
ritard.
Allegretto ♩=78
118
sf
p dolce
poco rit.
a tempo
127
espr.
mp
133
poco rit.
Più lento ♩=60
p dolce
ritard.
139

II

Allegro molto ♩= 156
f
7
sf
mf
f
14
sf
sf
p
ritard.
molto _ _ a tempo
20
cresc.
f
ff
f
poco allarg.
a tempo (♩= 180 – 176)
sf
26
sff
sempre f
32

37
sf
mf
sf
mf
sf
42
sf
f
mf
sf
sf
f
47
mf
sf
p
cresc.
51
ritard. molto
ff
ossia
ff

VI- *
a tempo (♩ = 156 – 150)
poco allarg.
56
f
sff
a tempo (♩ = 180)
60
ff
m.d.
m.g.
ff
65
ff
mf
più f
70
mf
f
mf
dim.
ossia
Più mosso 𝅗𝅥 = 100
75
mp
mf
p
(Ped.)
poco allarg.
80
cresc.
molto
ff

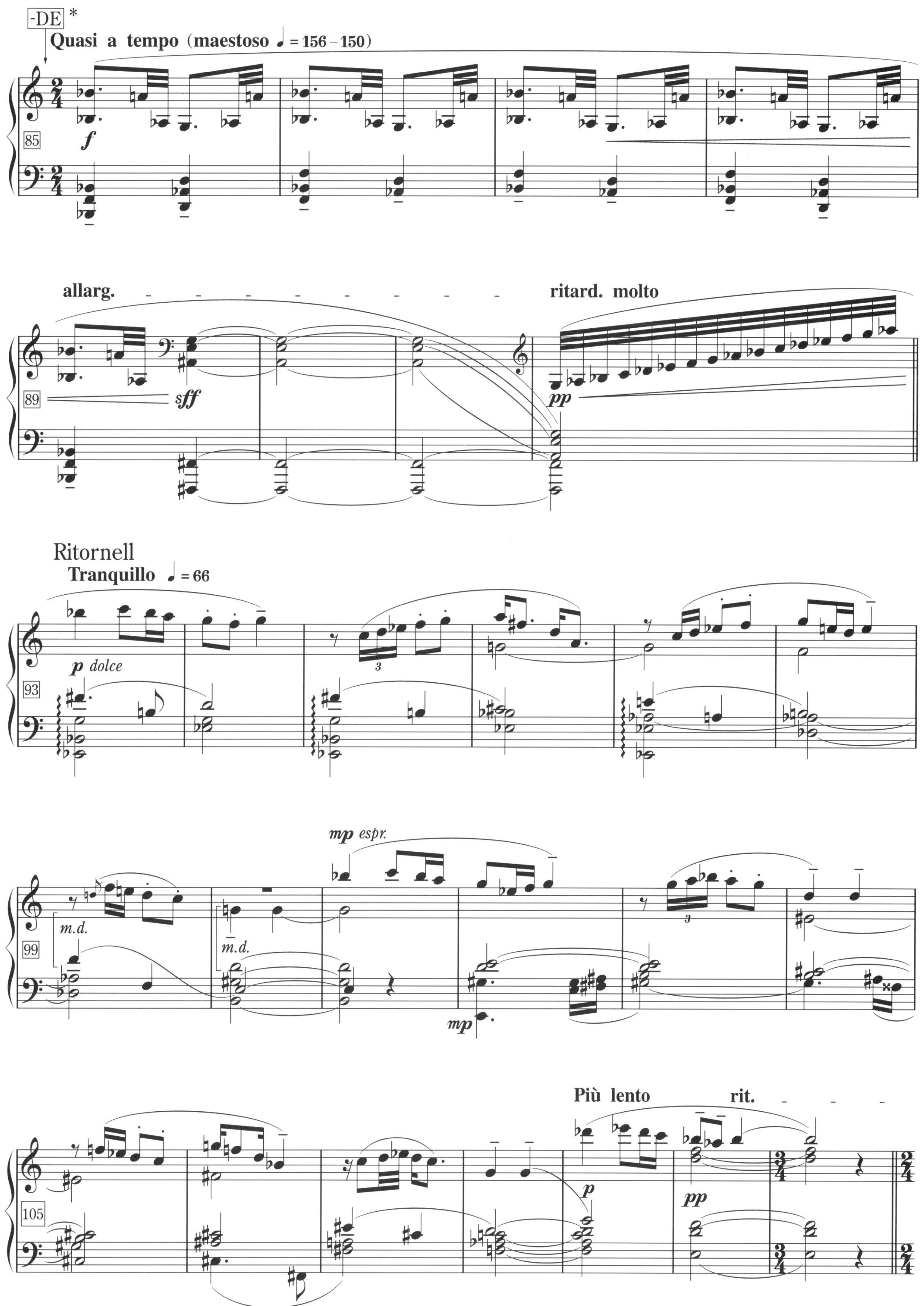
-DE *
Quasi a tempo (maestoso ♩ = 156 – 150)
85
f
allarg.
ritard. molto
89
sff
pp
Ritornell
Tranquillo ♩ = 66
p dolce
93
3
mp espr.
m.d.
99
m.d.
mp
3
Più lento
rit.
105
p
pp

III

a tempo
(un poco meno mosso ♩=124)
più f
f
29
34
più f
f
39
più f
poco a poco allarg.
ff
(Ped.)
Tempo I ♩=140
44
fff
f
Ped.
sempre simile
50
Ped.
55
mf
Ped.

61
66
p
rallent.
molto
Tempo I
72
tr
più p
gliss.
p
78
(♩= 130)
8
84
più p
ossia
88
f

Un poco meno mosso ♩=124
94
ossia
100
f
106
ff
111
mf
ff
mf
117
ff
mf
ff
ff
Meno mosso ♩=110
8
ff
sff
sff

allarg. molto
a tempo ♩=124
123
fff
p
(Ped.)
129
Ped.
a tempo
poco ritard.
134
sempre p
(Ped.)
ritard.
al
dolce
140
Lento ♩=62
Vivacissimo ♩=150
146
pp
f
allarg. molto
Vivacissimo
152
ff
5

IV

Molto tranquillo ♩. = 58 – 60
pp
p sonore
(Ped.)
4
pp
7
p sonore
pp
Ped.
10
mp sonore
Più tranquillo ♪ = 142
8
13
p
mf sonore

poco a poco più tranquillo
16
f
dim.
al
♪= 110
a tempo (♪= 132 – 144)
19
5
p
pp
p sonore
22
pp
p sonore
pp
25
p
VI-*
pp
p
sempre più tranquillo
-DE *
al
♪= 110
Ritornell
Lento ♩= 60
28
ppp
p
ppp p
pp
Più lento ♩= 50
ritard.
33
ppp

V

15
dim.
p
18
f
p
ossia
p
21
ff
24
mp
dim.
pp

Finale

Allegro ♩= 140
pp
poco cresc.
(Ped.)
p
marc. il tema
5
cresc.
mf
8
ben marc. il tema
11
p ma ben marc.
14
sempre p
ossia
sempre p

ossia :
VI-*
Più allegro ♩ = 160
17
mf
f marc.
(Ped.)
mf
f marc.
(Ped.)
20
23

26
ff marcatissimo
30
cresc.
8
poco allarg.
34
fff
-DE *
Meno vivo ♩= 112
ff pesante
ossia
ff pesante
38
poco rit.
sff
sff

a tempo
43
(♩ = 120)
48
52
cresc.
allargando
sfff
cresc.
sfff

Allegretto ♩ = 134
55
p
60
mf
poco rit.
f
a tempo
poco rit.
65
p subito, leggero
5
Allegro vivace ♩ = 140
VI-*
71
f
più f
sf
ossia
più f
sf
76
sff
sf
sf
sff
sff
sf
sf
sff

80
mf
f
mf
sempre più agitato
marcato
85
f
cresc.
89
poco rit.
-DE
Presto 𝅗𝅥 = 90
allargando
94
ff marcatissimo

* [*sost.*] 여기서 소스테누토 페달을 밟는다.(교정자주)

** [❈] 여기서 소스테누토 페달을 올린다.(교정자주)

ossia :
sempre più vivo al ♩= 160
142
poco allarg. ♩= 138
148
ff
155
Larga -
fff
mente ♩= 100
Allegretto ♩= 132
161
f
168

Allegro molto ♩ = 160
Sostenuto ♩ = 126
f
ff
173
Allegro molto ♩ = 160
178
cresc.
(Ped.)
184
poco allarg.
188
a tempo
191

* 8 ad libitum

Neun kleine Klaviersücke

9개의 피아노 소품

Vier Zwiegespräche

4개의 대화

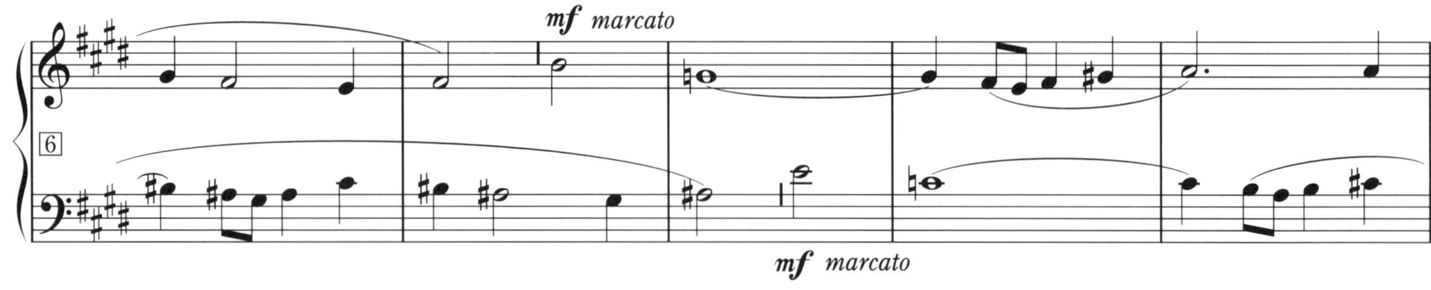

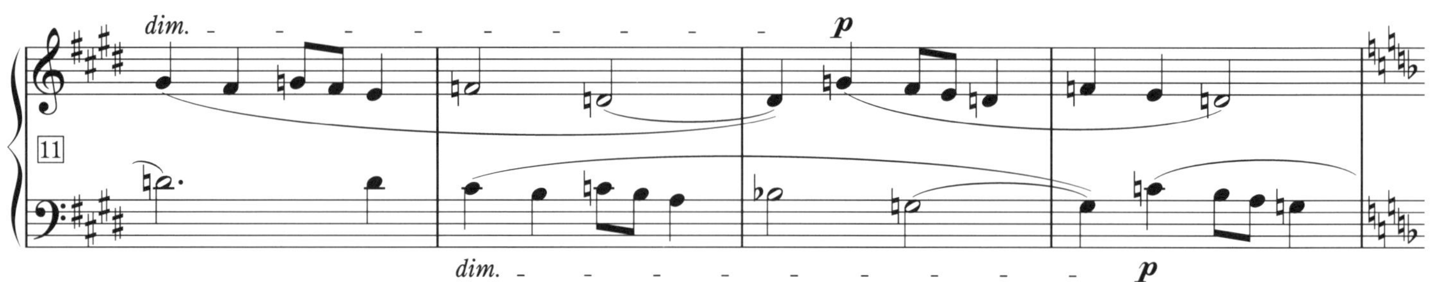

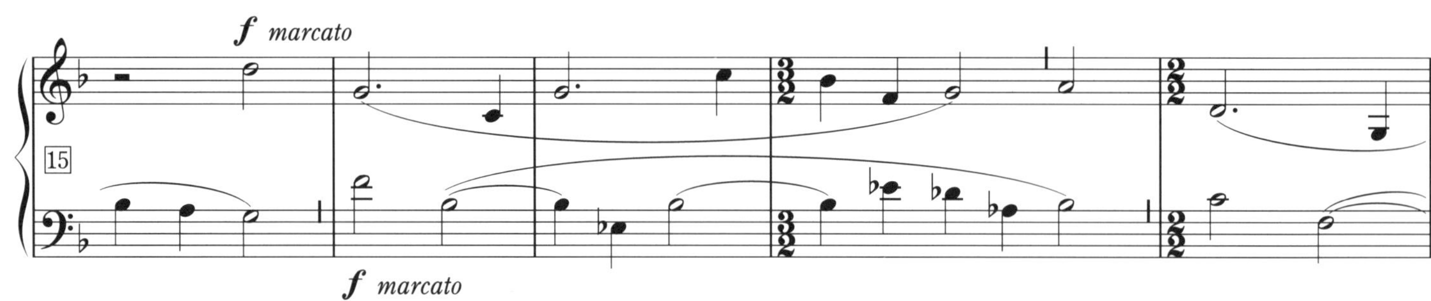

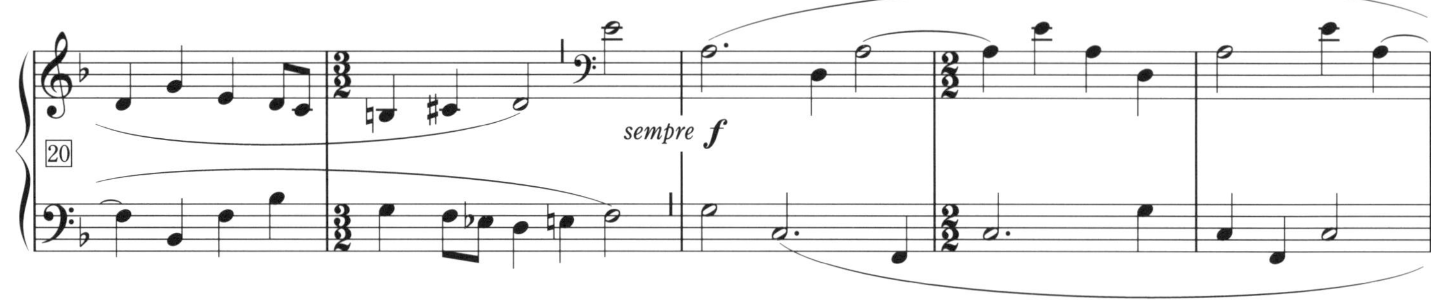

mf
25
29
mf
34
f
f
più f
38
più f
cresc.
poco allargando
42
ff

Andante ♩ = 96
2.
mf
mf
4
f
p
7
mp
mf
mf
10
p

13

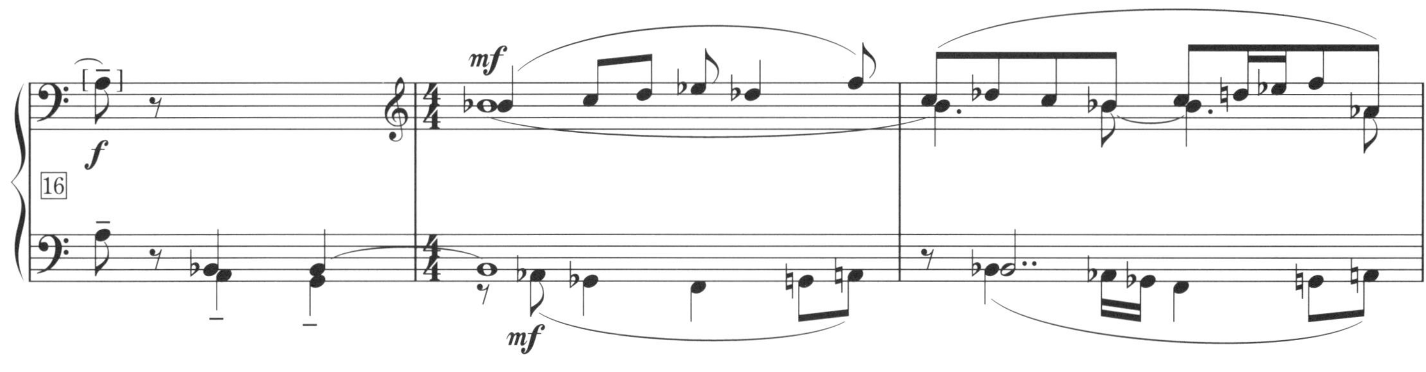
16
f
mf
mf

19
dim.

22
mp
mp

26
ossia

poco ritard.
29
poco ritard.

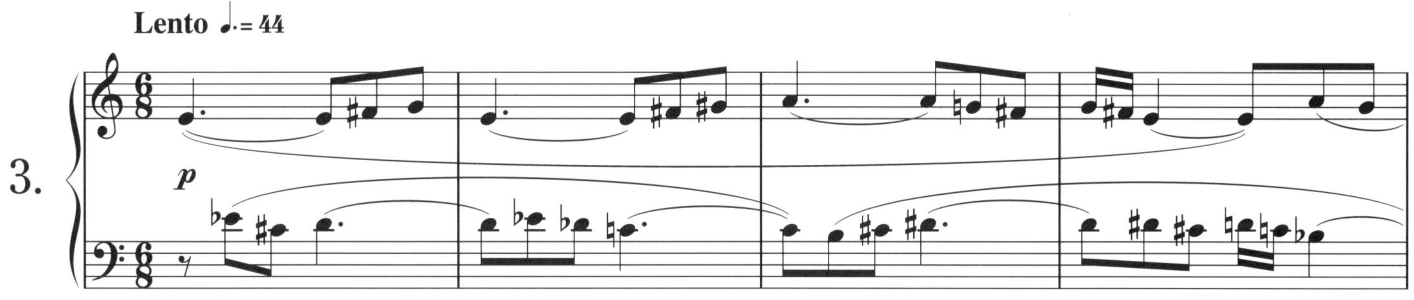
Lento ♩. = 44
3.
p

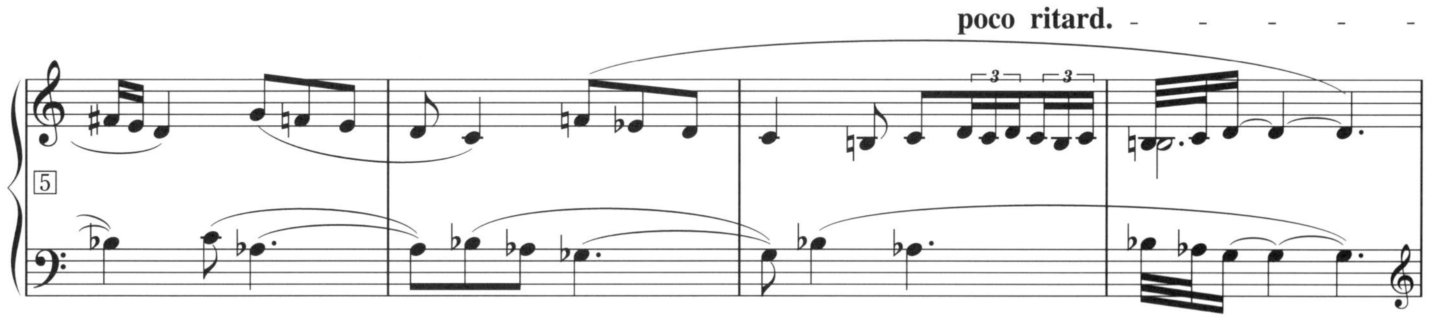
poco ritard.
5

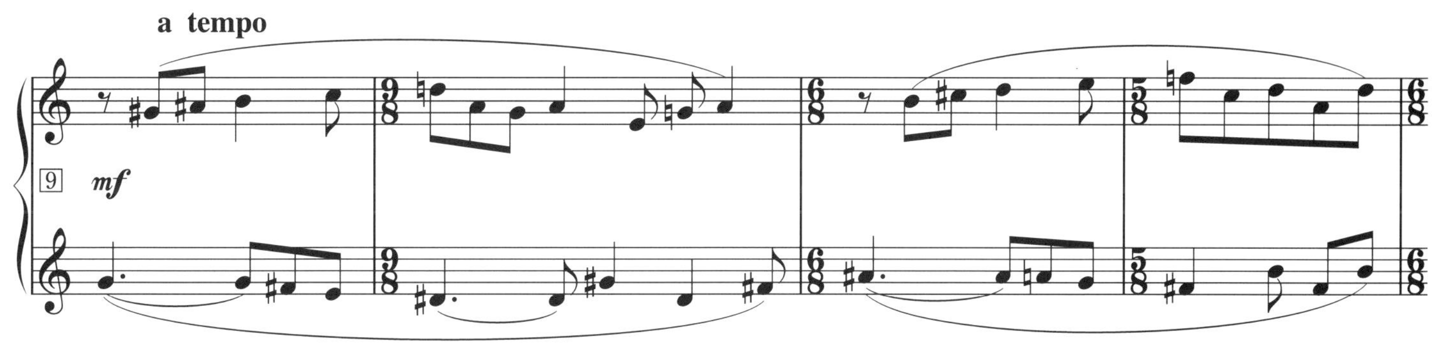
a tempo
9
mf

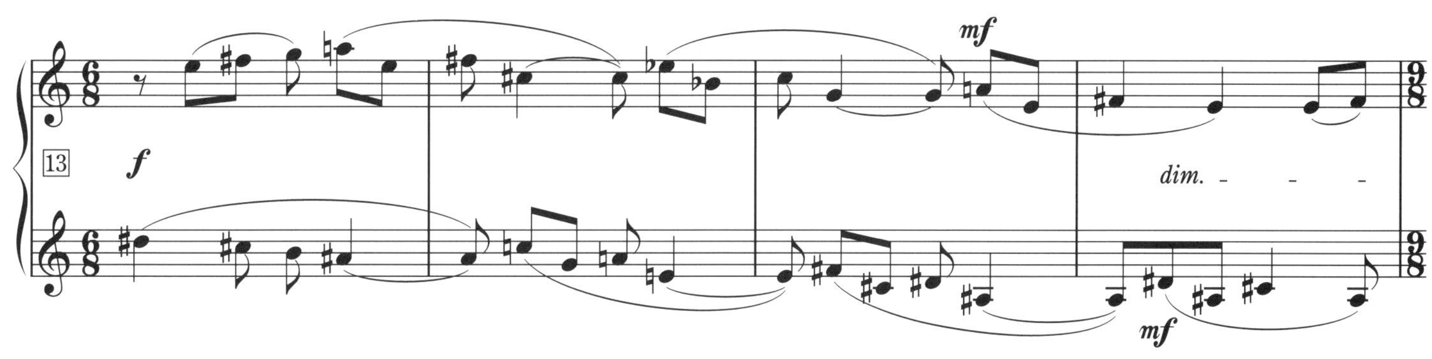
13
f
mf
dim.
mf

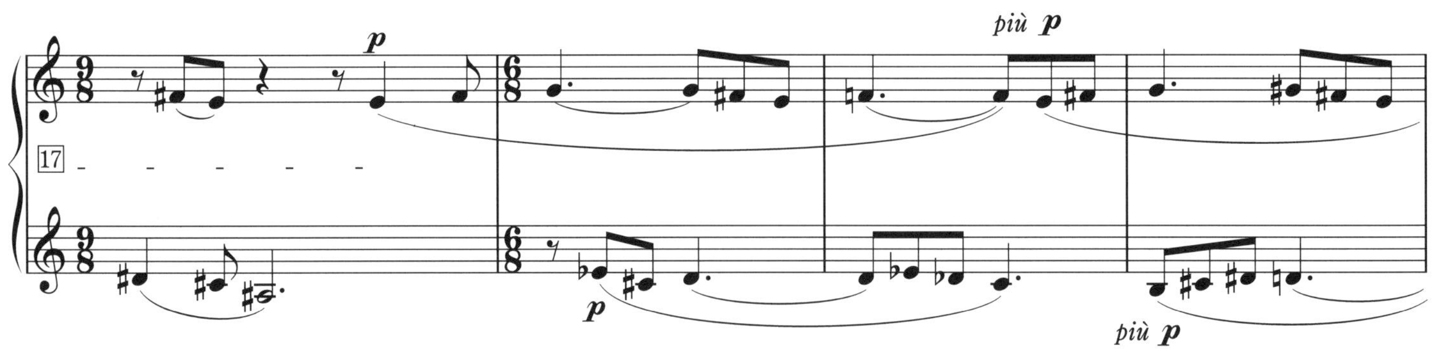
17
p
più p
p
più p

21
poco cresc.
al
p

24
p

rallentando
28
3
3
pp

Allegro vivace ♩ = 152
4.
f non legato
6
11
16
22
mf

27
cresc.

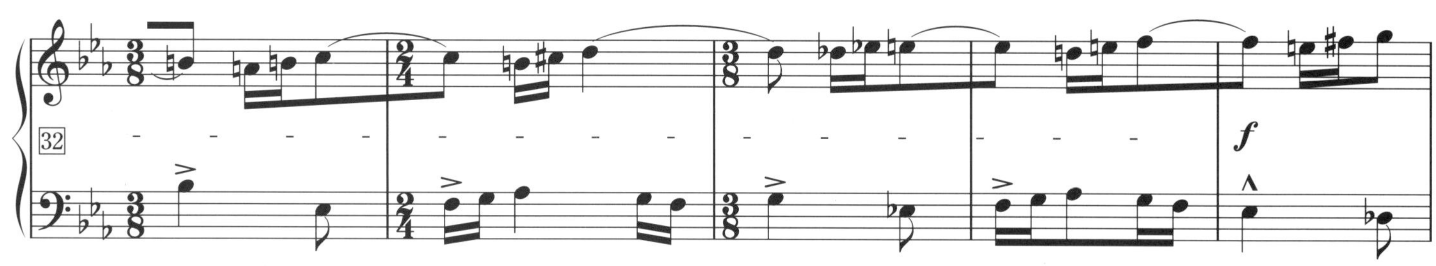
32
f

37
sempre f e marcato

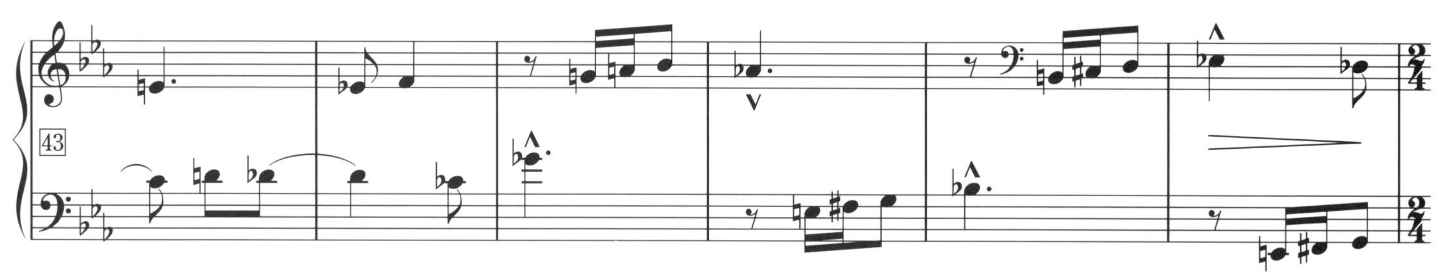
43

p
49
p

54
59
64
69
75
f
f
ff

Menuetto

미뉴에트

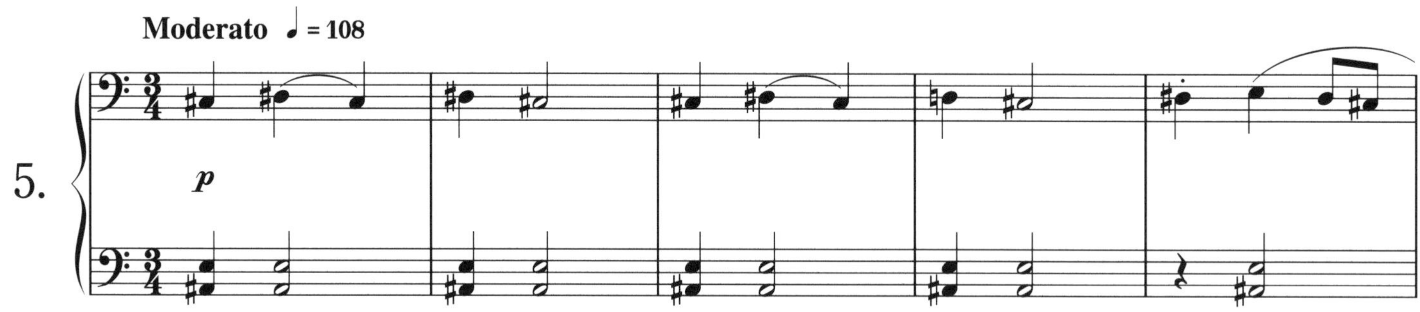

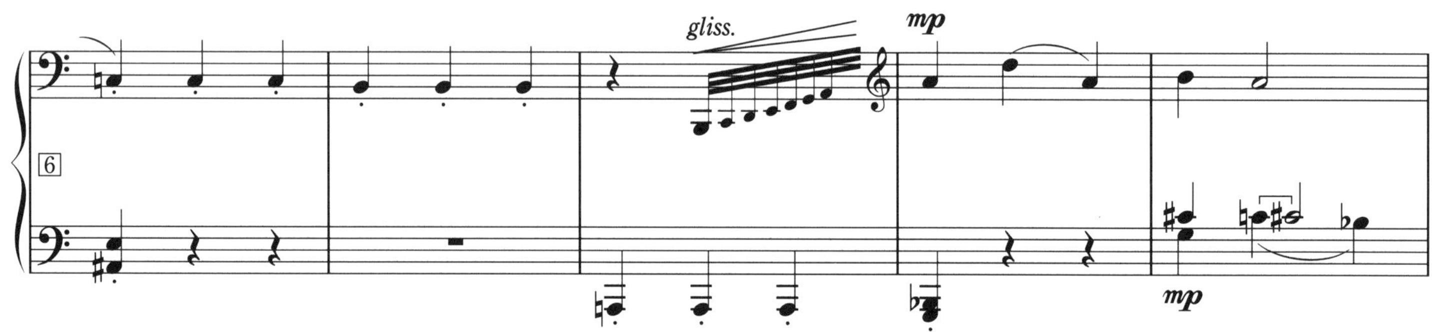

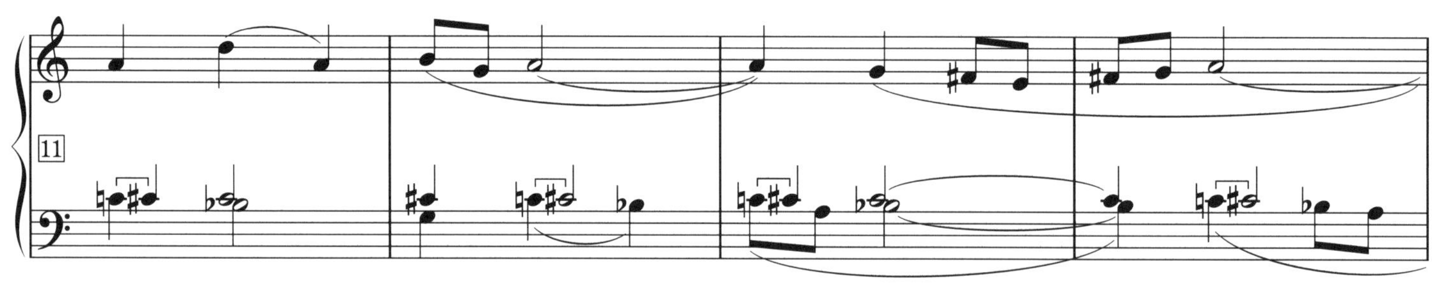

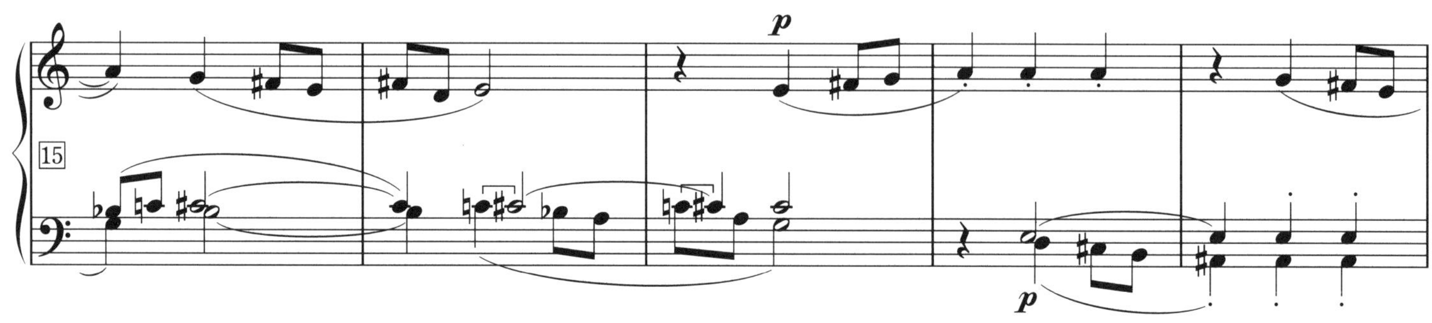

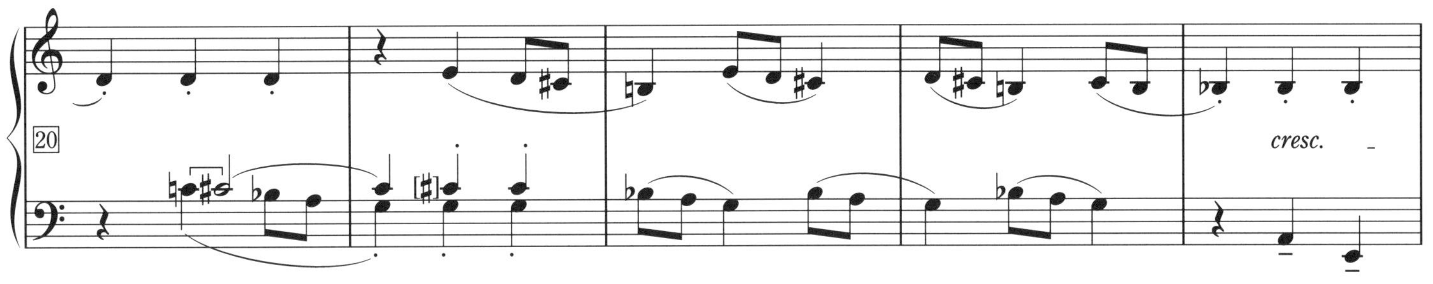
20
cresc.

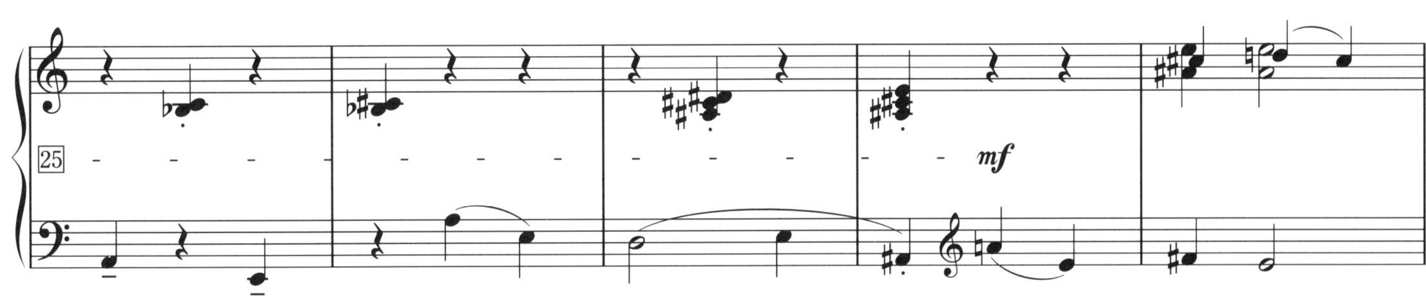
25
mf

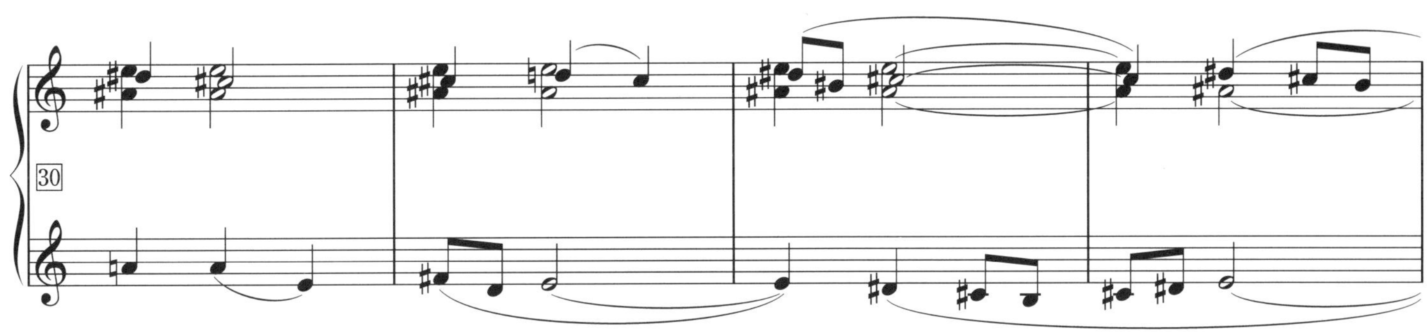
30

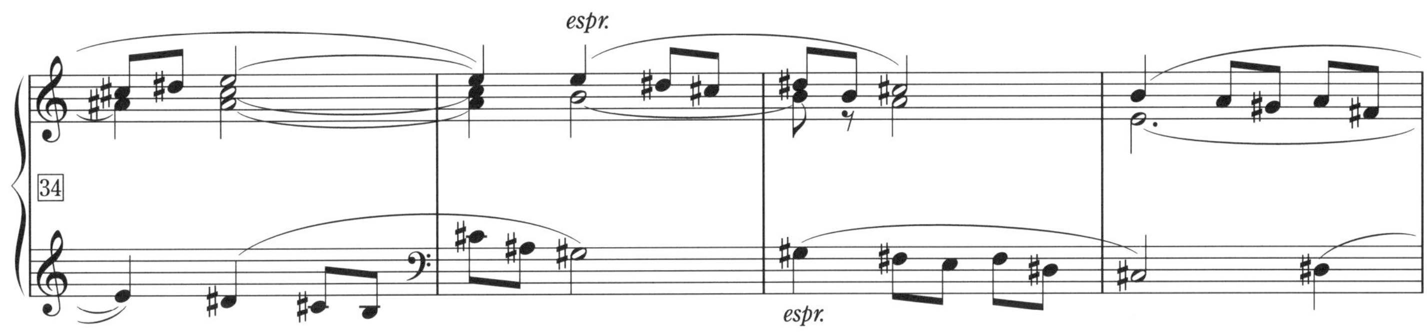
espr.
34
espr.

sonore
38
dim.

42
p
8

47
8
dim.
ppp

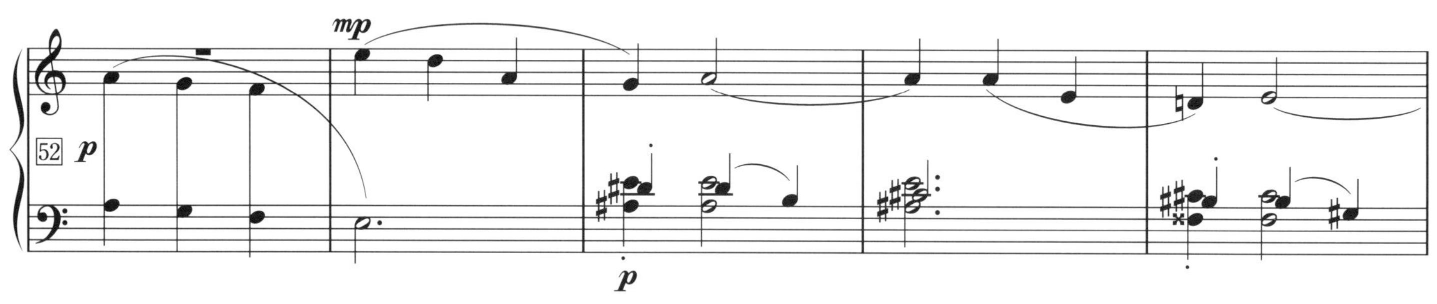
mp
52
p
p

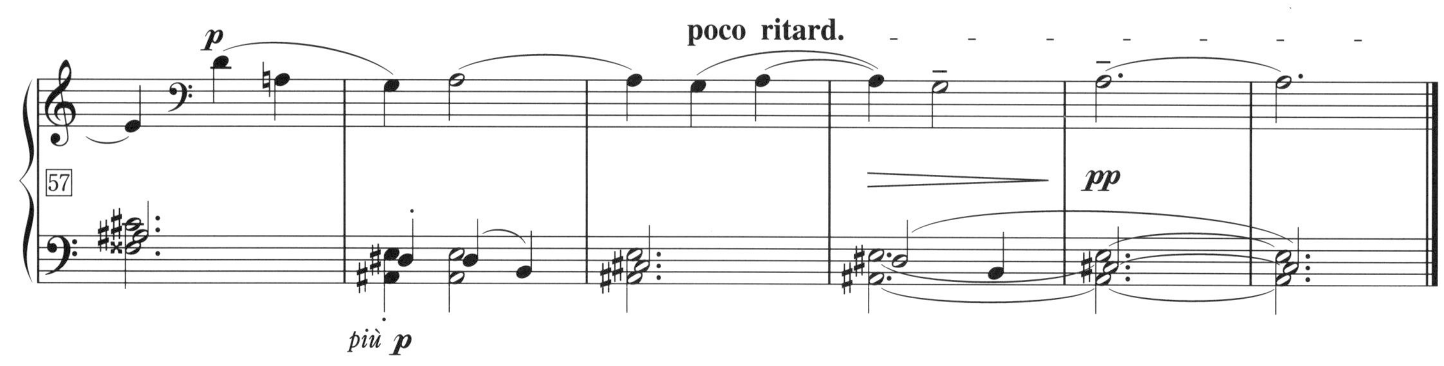
p
poco ritard.
57
pp
più p

Lied

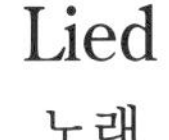

노래

6.

Allegro ♩ = 144

sf *f* *sf* *sf* *sf* *sf* *sf*

5

sf *sf* *sf* *sf* *sf* *sf* *sf* *sf* *sf*

10

sf *sf* *meno f*

13

f **ritard.** - - - - - - - - - - **al**

sf

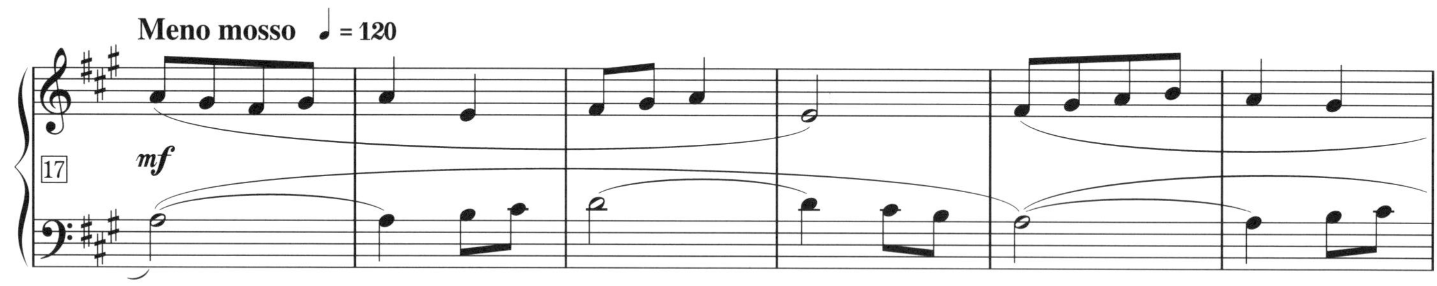
Meno mosso ♩ = 120
mf
17

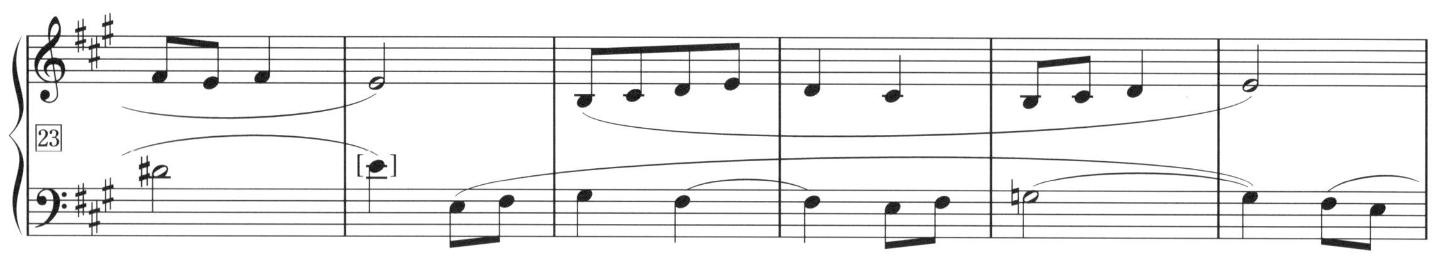
23

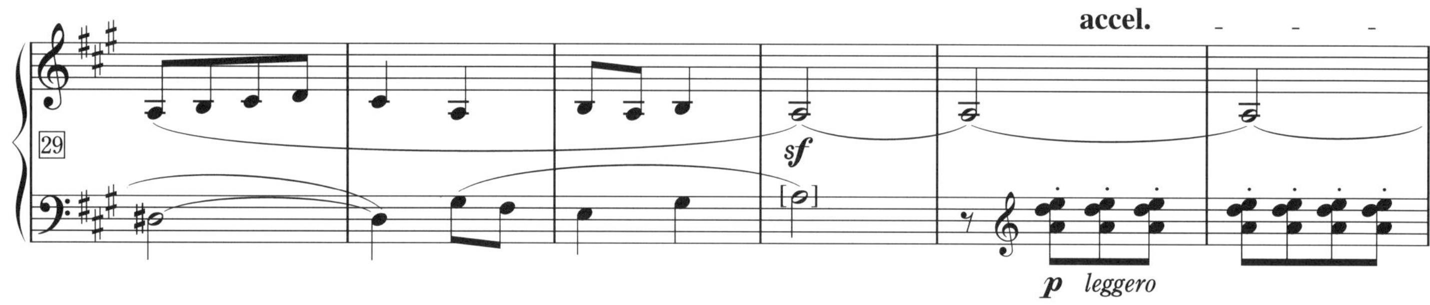
accel.
29
sf
p leggero

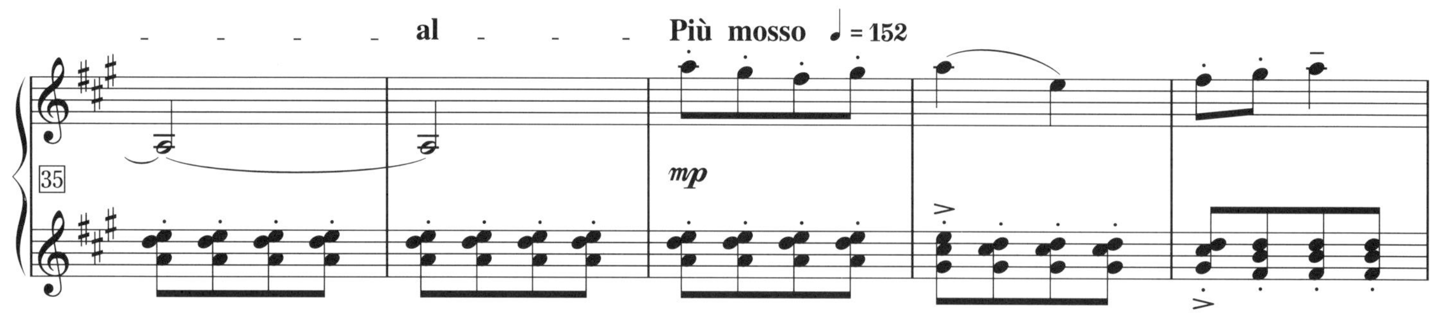
al
Più mosso ♩ = 152
35
mp

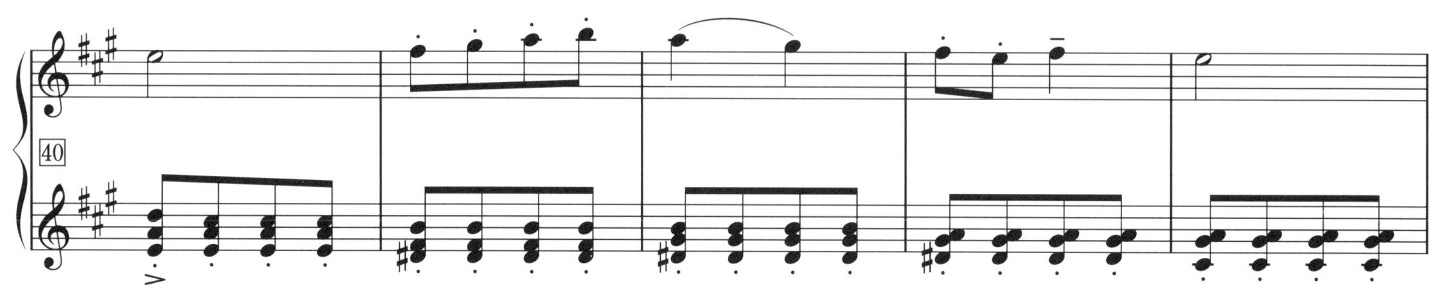
40

45
50
sf
f
poco a poco accelerando
[sf]
54
sf
58
sf
sf
p
♩ = 176
62
cresc.
f
f

Marcia delle Bestie

야수의 행진

13
p
mf sub.
15
p
f
sf
17
meno f
mp
f
19
f
ff
mf
22
f
f
mf

25
f
mf
f
meno f
28
mf
f
più f
meno f
31
f
33
p
mf sub.
p
35
(p)

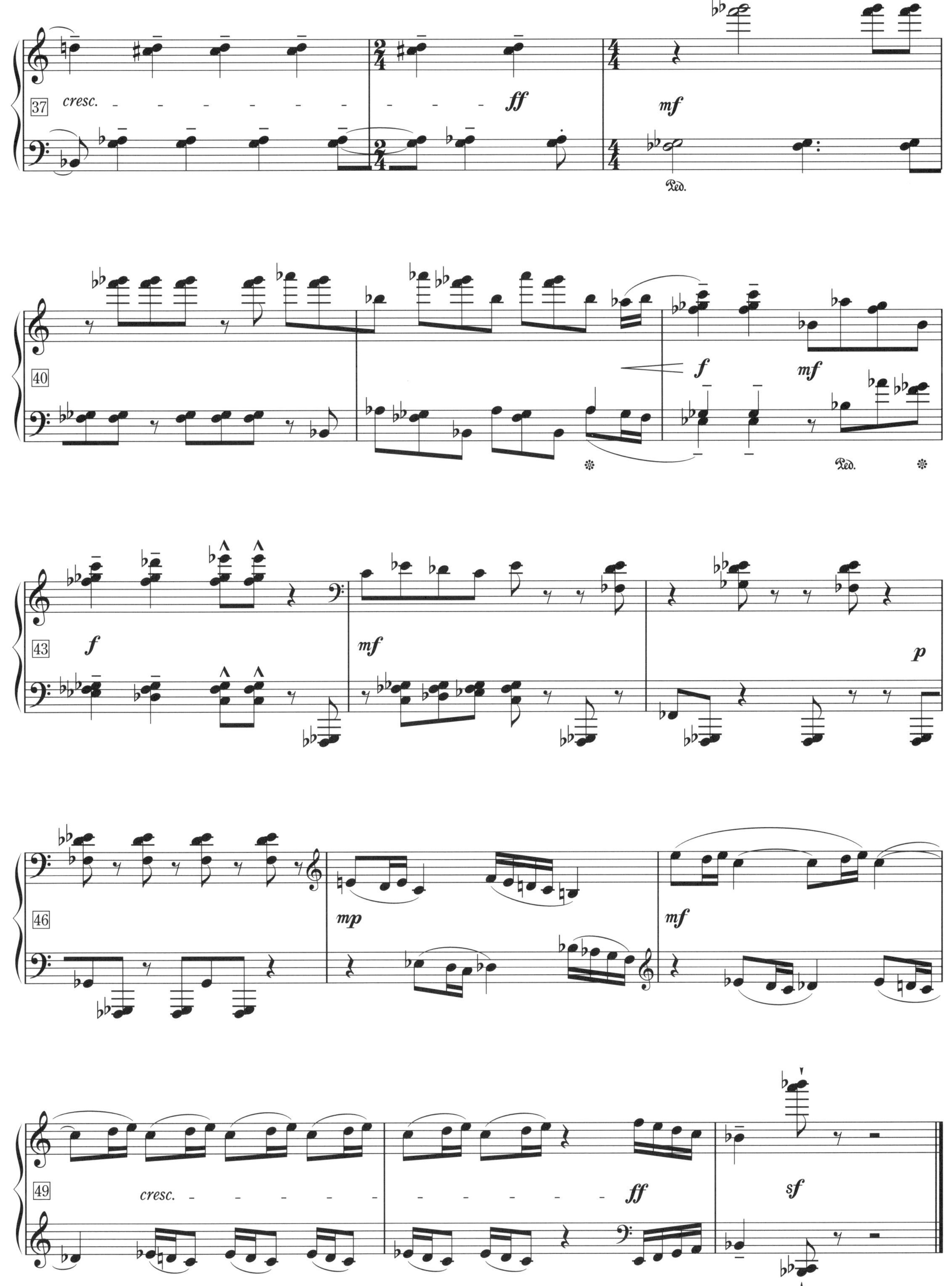
37
cresc.
ff
mf
Ped.
40
f
mf
Ped.
43
f
mf
p
46
mp
mf
49
cresc.
ff
sf
8

Tamburin

탬버린

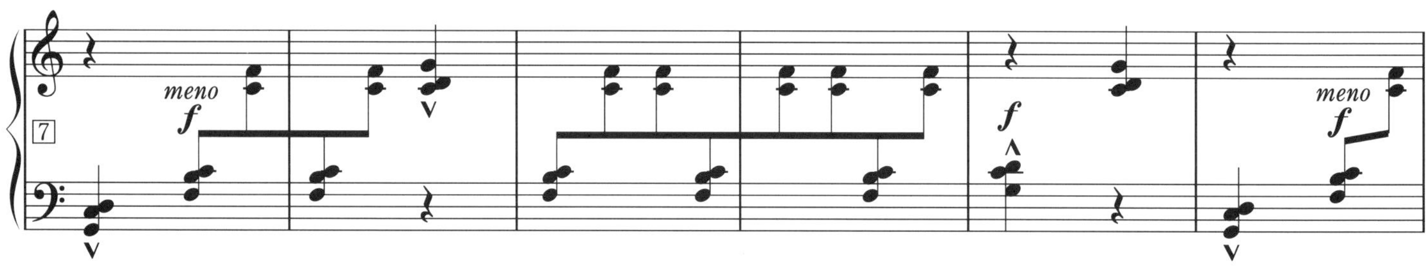

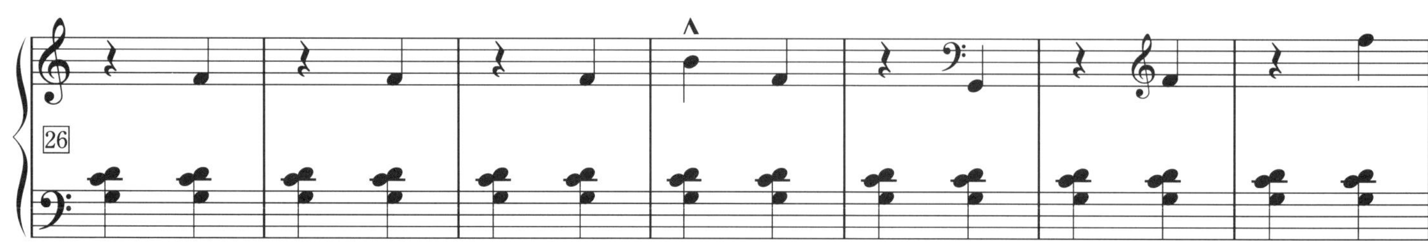

33
40
47
sf
sf
meno
f
53
f
meno
f
59
f

66
f
73
80
87
meno
f
94
p
cresc.
f

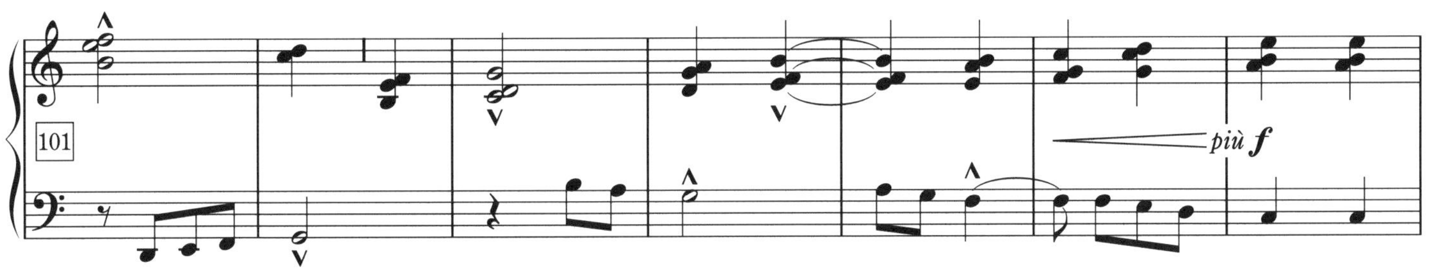
101
più f

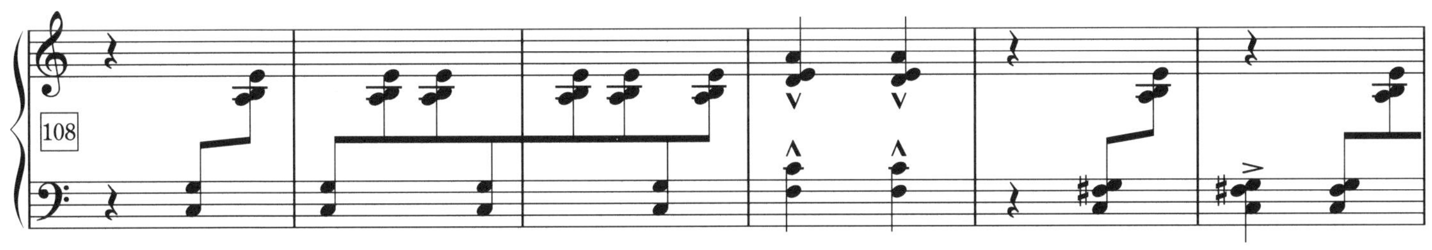
108

114

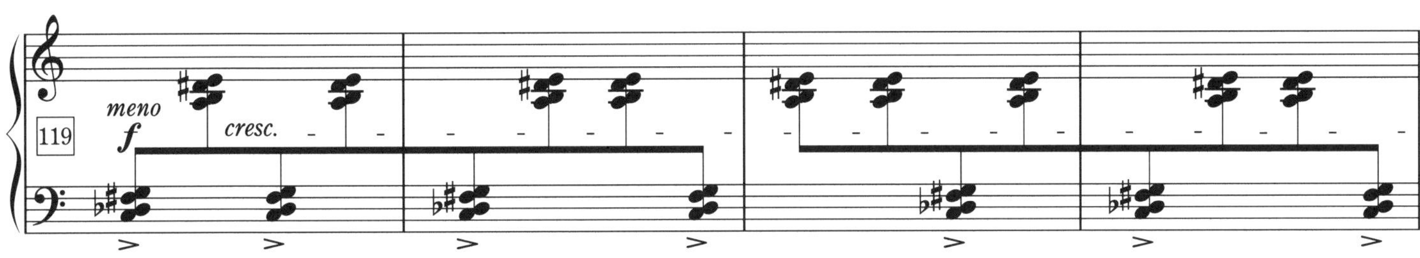
119
meno
f
cresc.

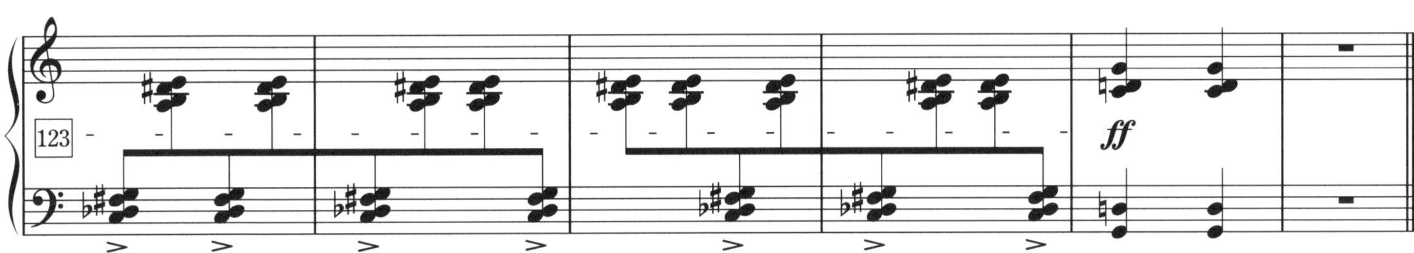
123
ff

Preludio – all'ungherese

서주 헝가리풍으로

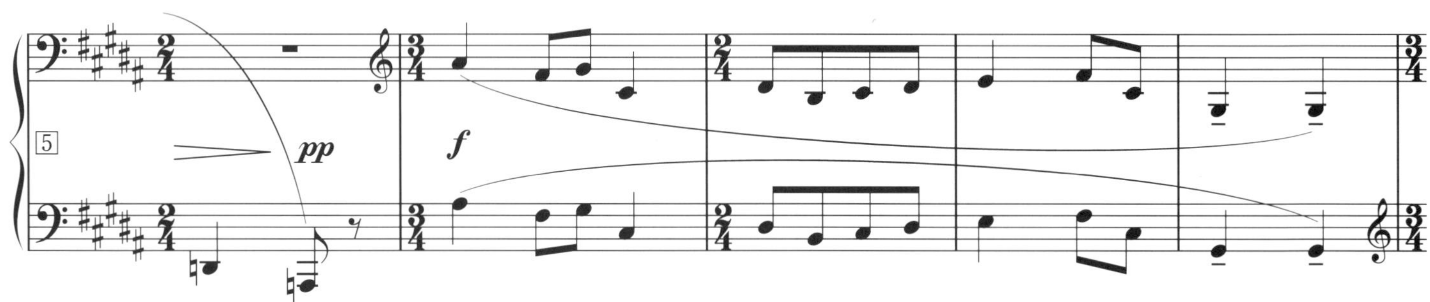

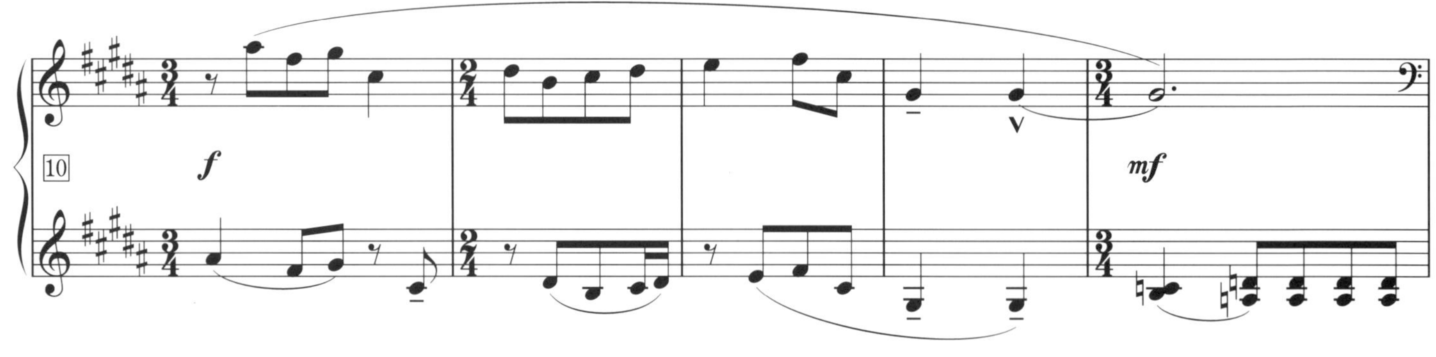

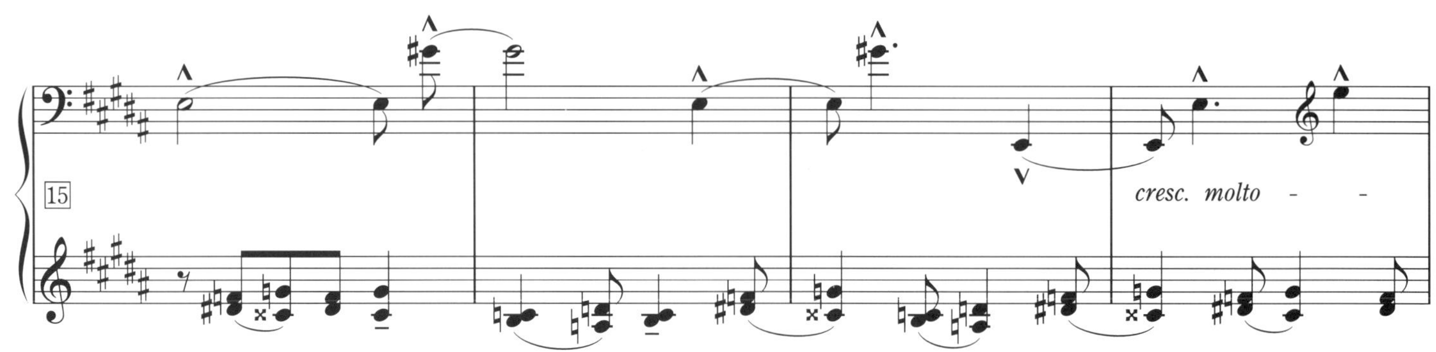

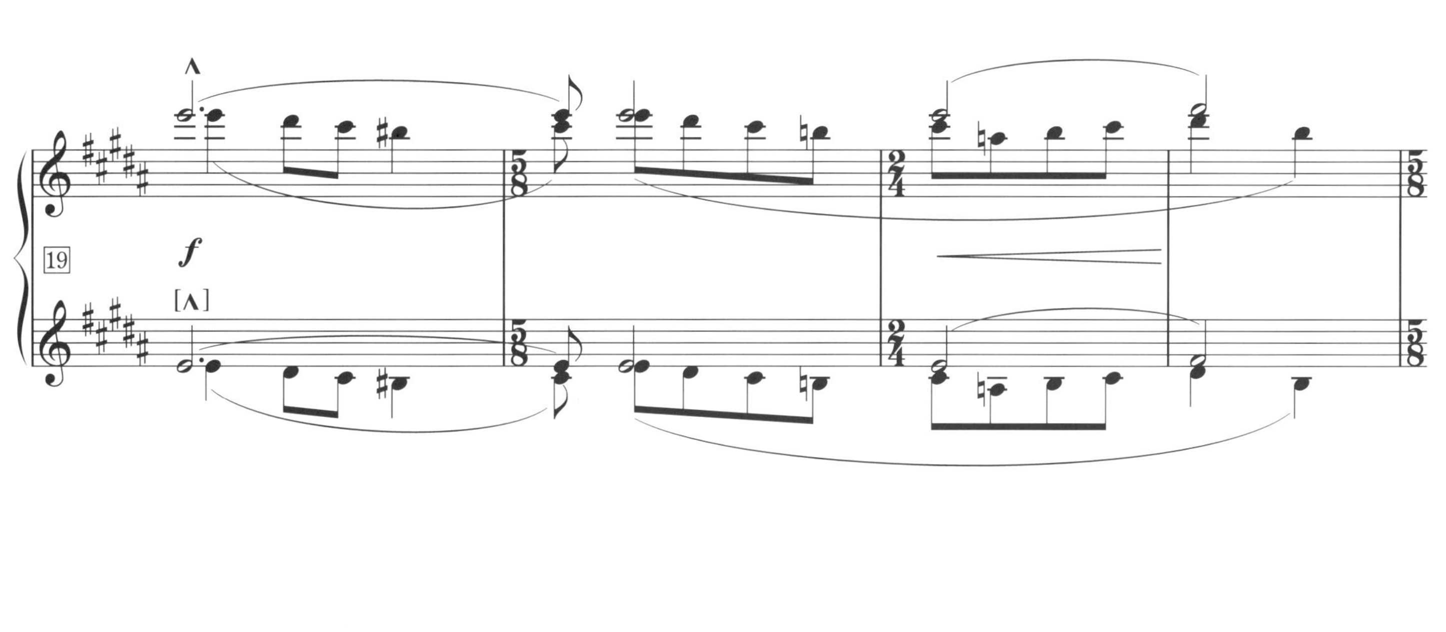
19
f
[∧]

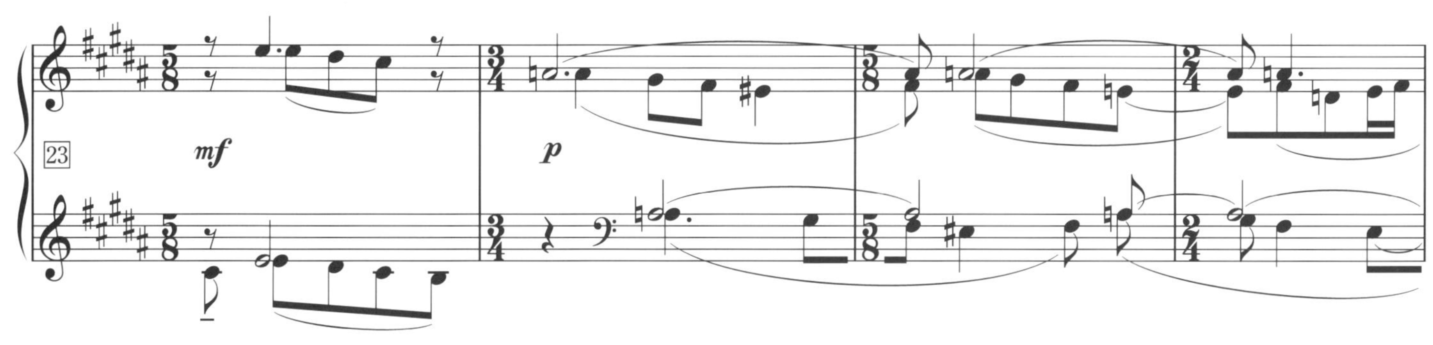
23
mf
p

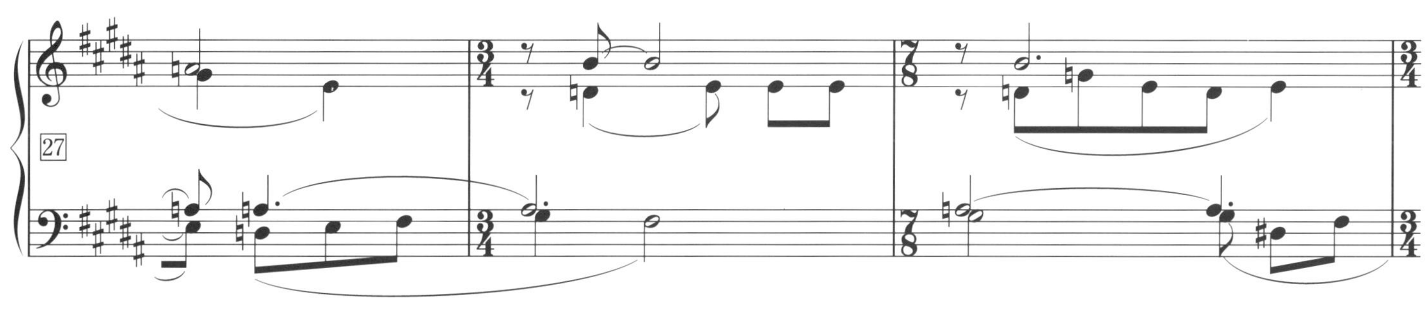
27

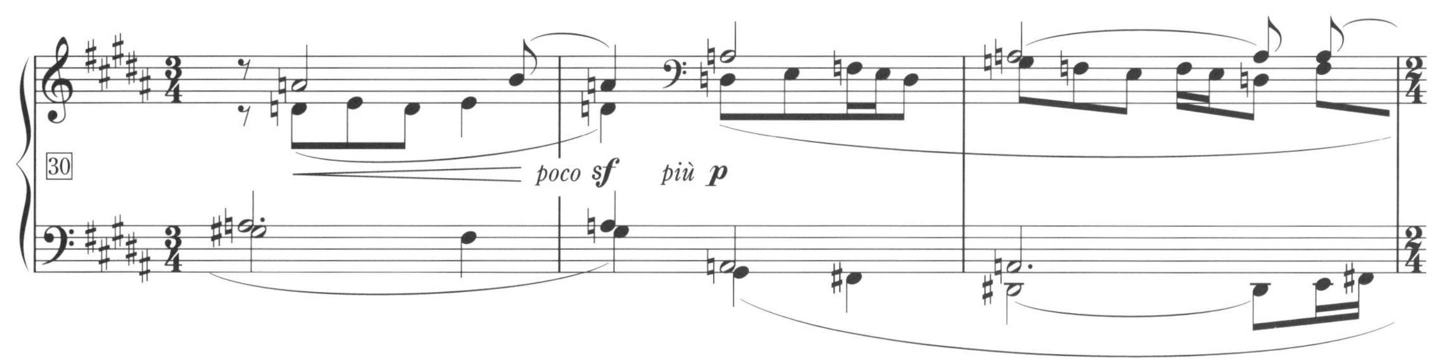
30
poco sf
più p

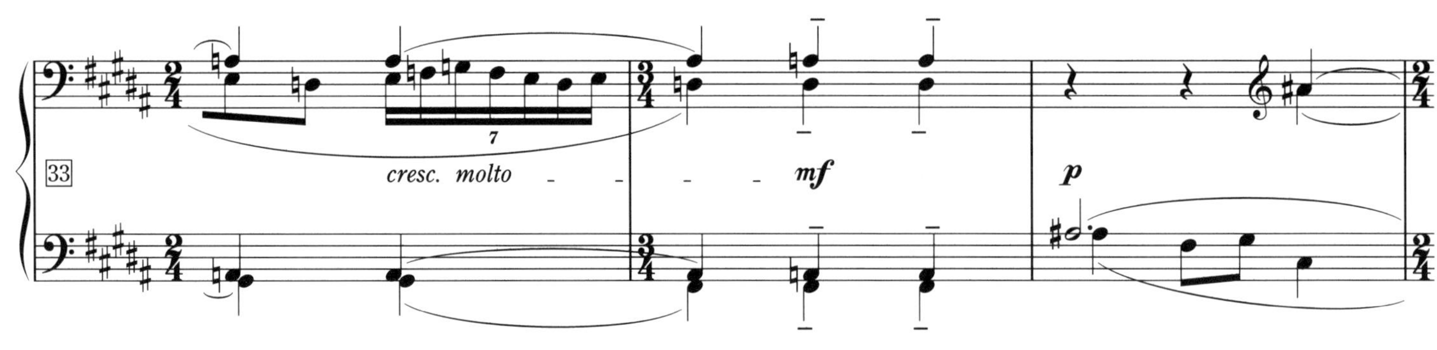
33
7
cresc. molto
mf
p

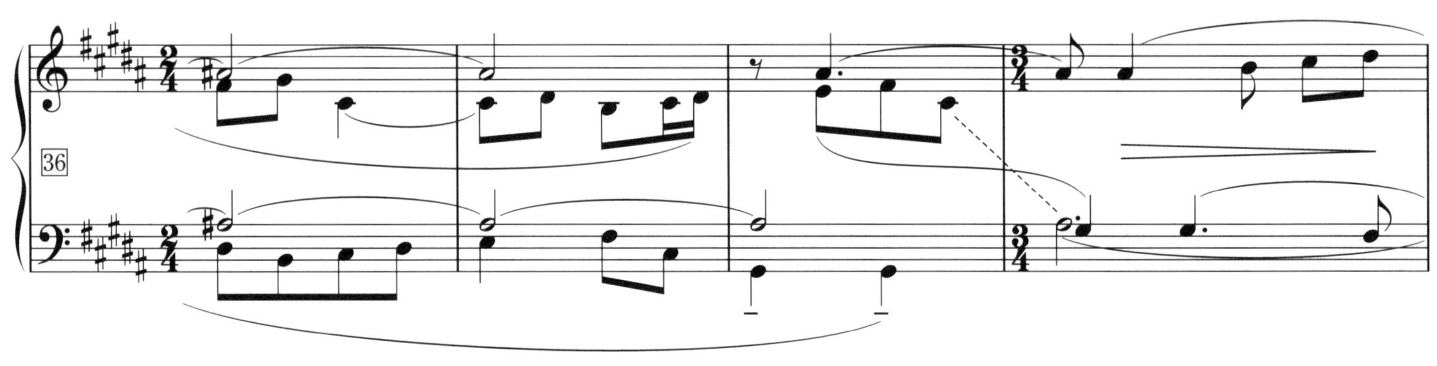
36

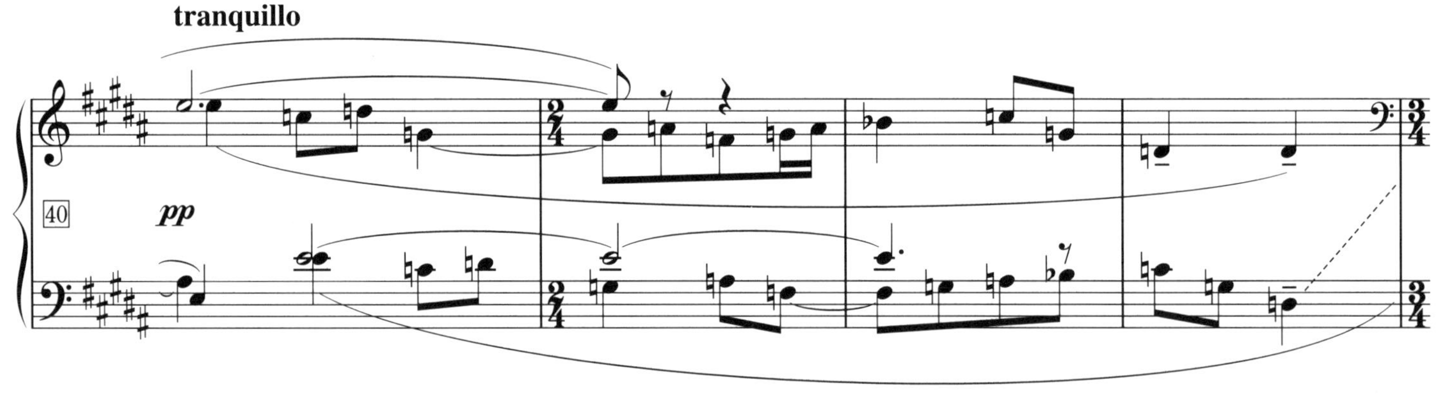
tranquillo
40
pp

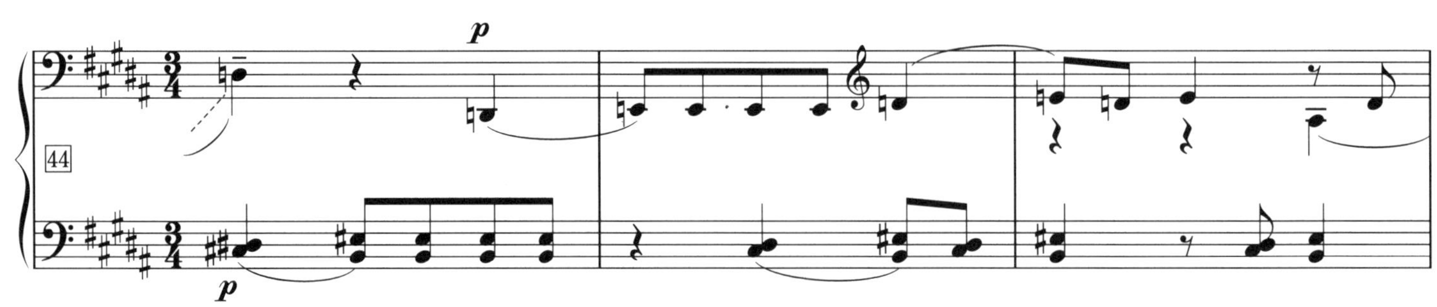
p
44
p

poco allargando
47
cresc.
f

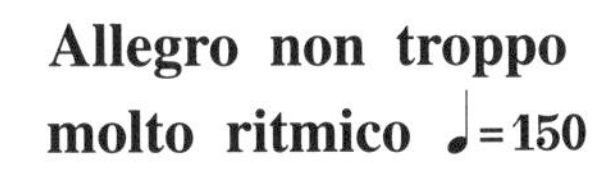

Allegro non troppo
molto ritmico ♩=150
52
p

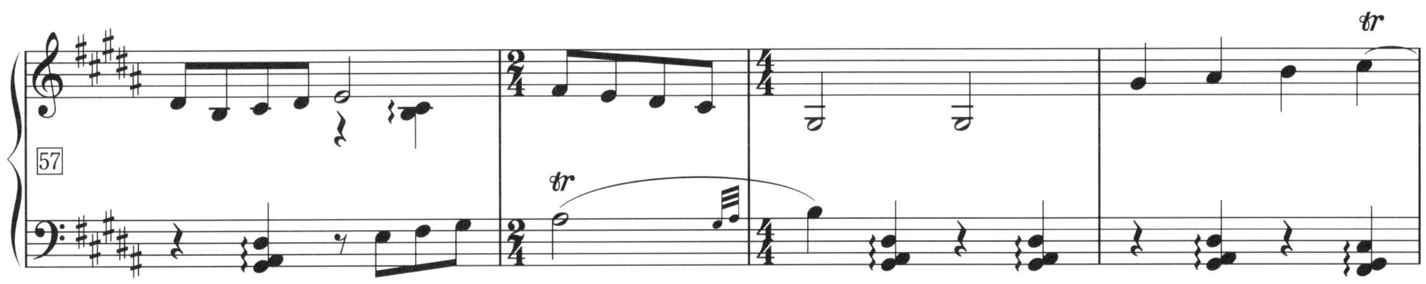
57
tr

61
tr

sempre stringendo sin al

65
sempre cresc. sin al
tr

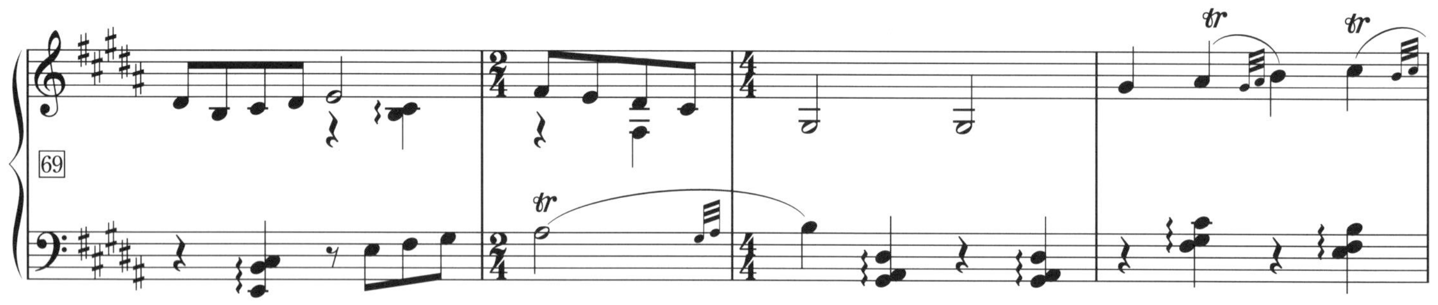
69
tr
tr
tr

73
tr

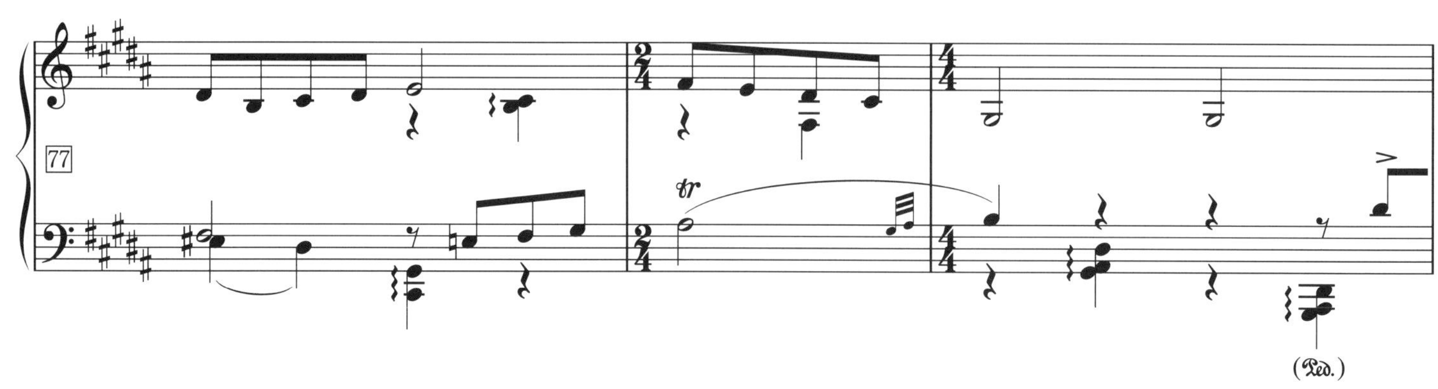
77
tr
(Ped.)

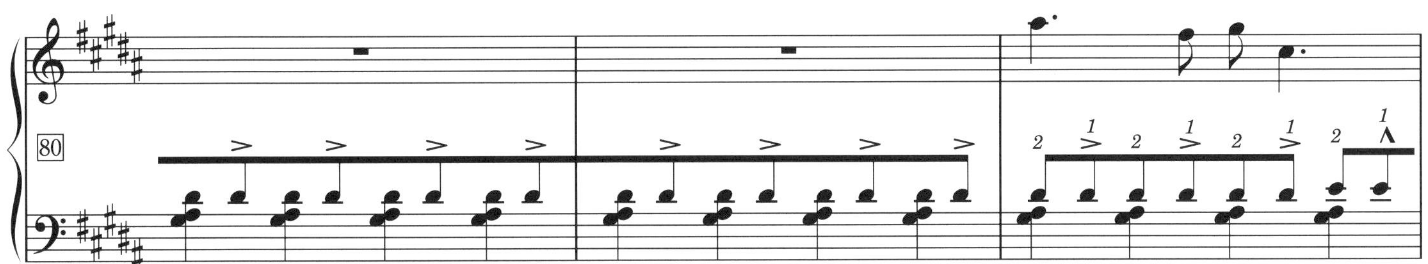
80
2
1
2
1
2
1
2
1

83

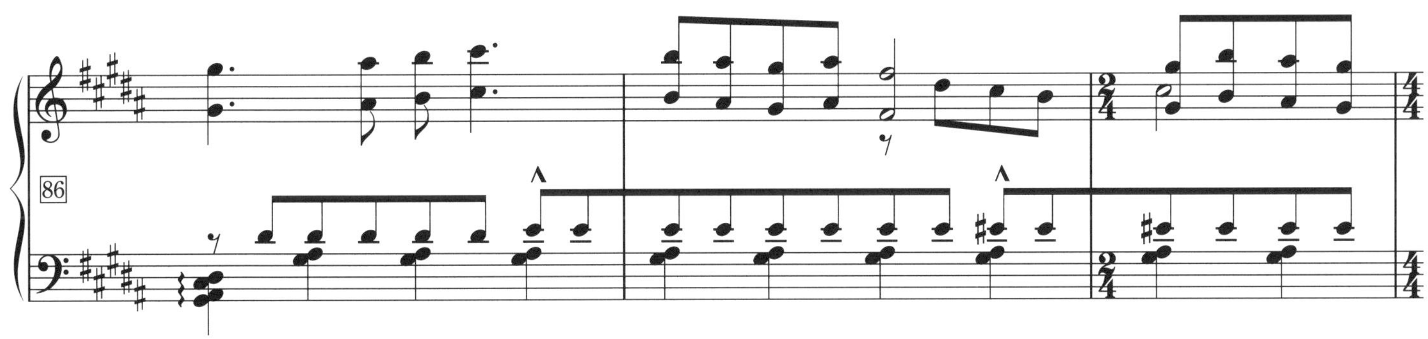
86

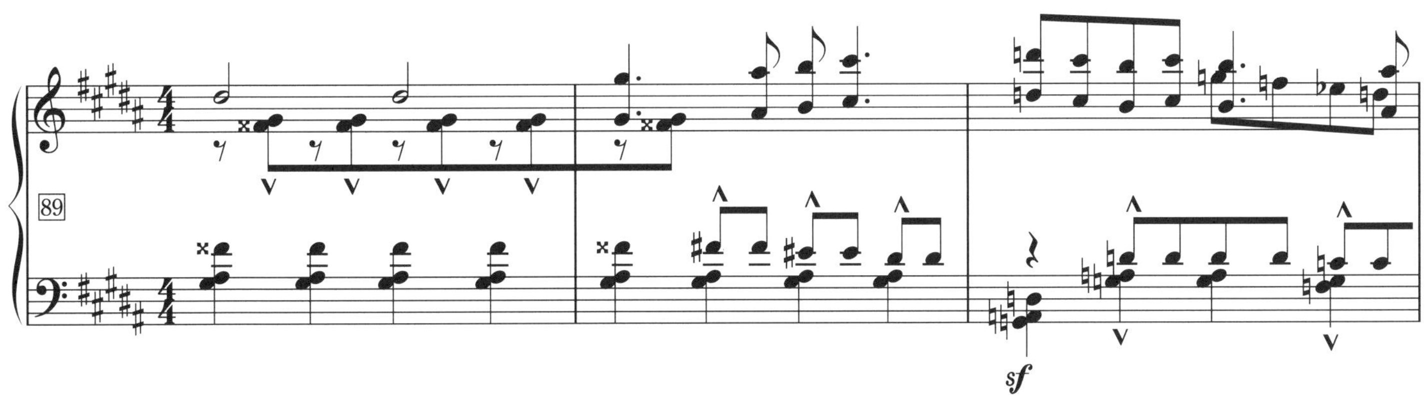
89
sf

92
f
sf
p

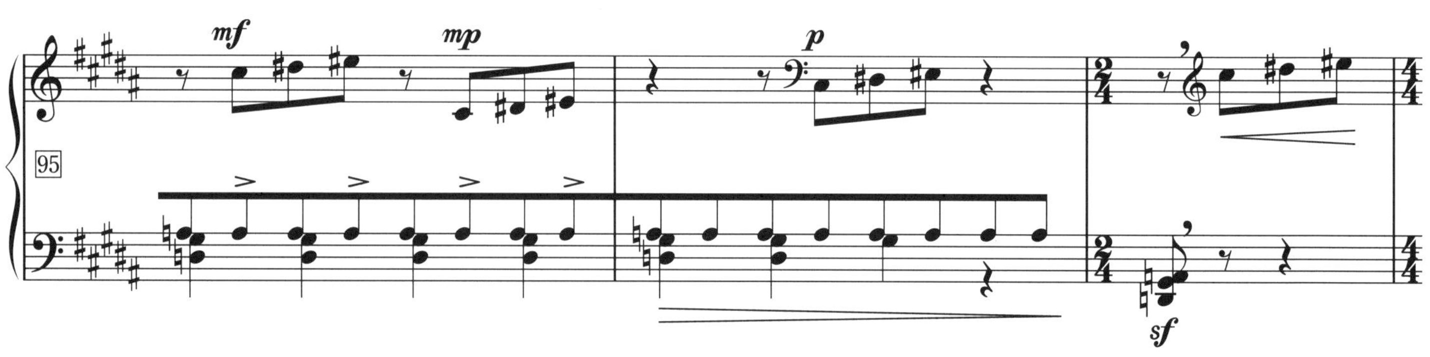
95
mf
mp
p
sf

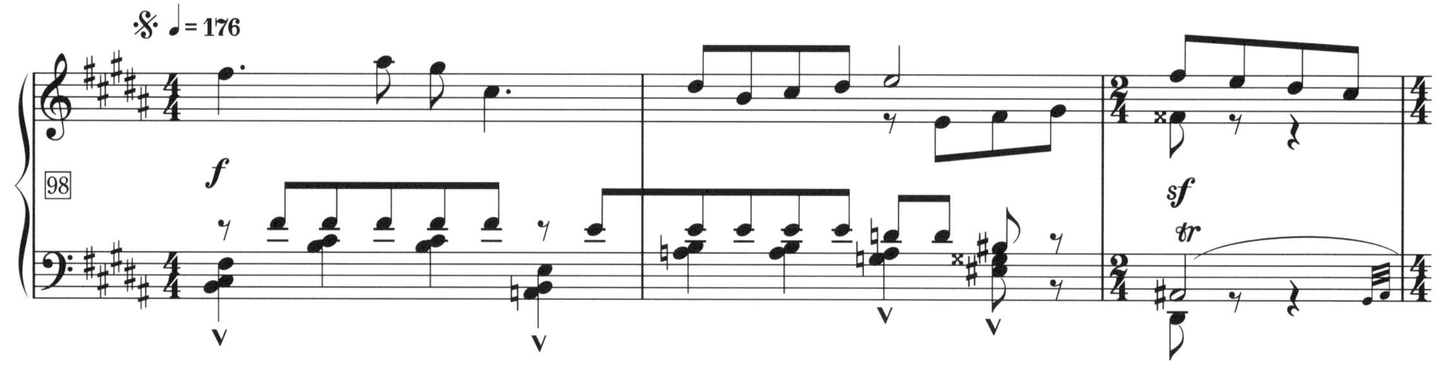
♩ = 176
98
f
sf
tr

101
sf
f
sf
più f

104
m.d.
m.d.

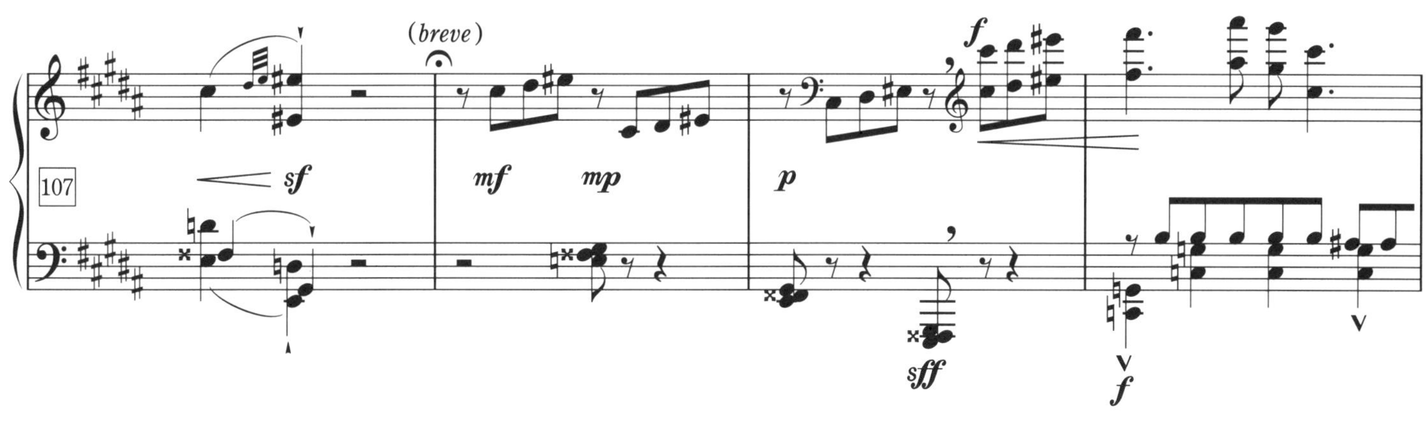
107
(breve)
sf
mf
mp
p
f
sff
f

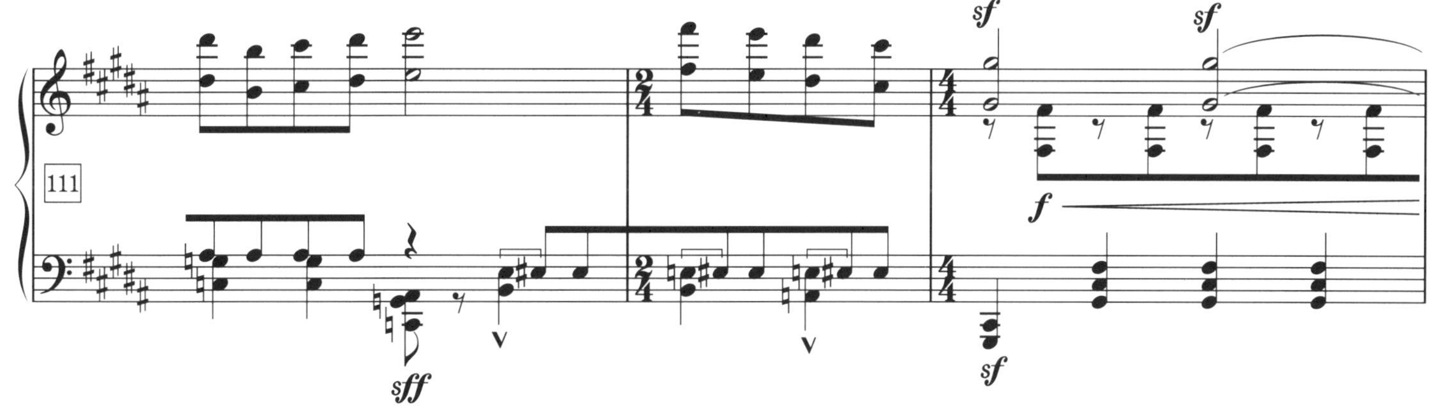
111
sff
sf
sf
f
sf

114
Più mosso ♩= 200
f
sff

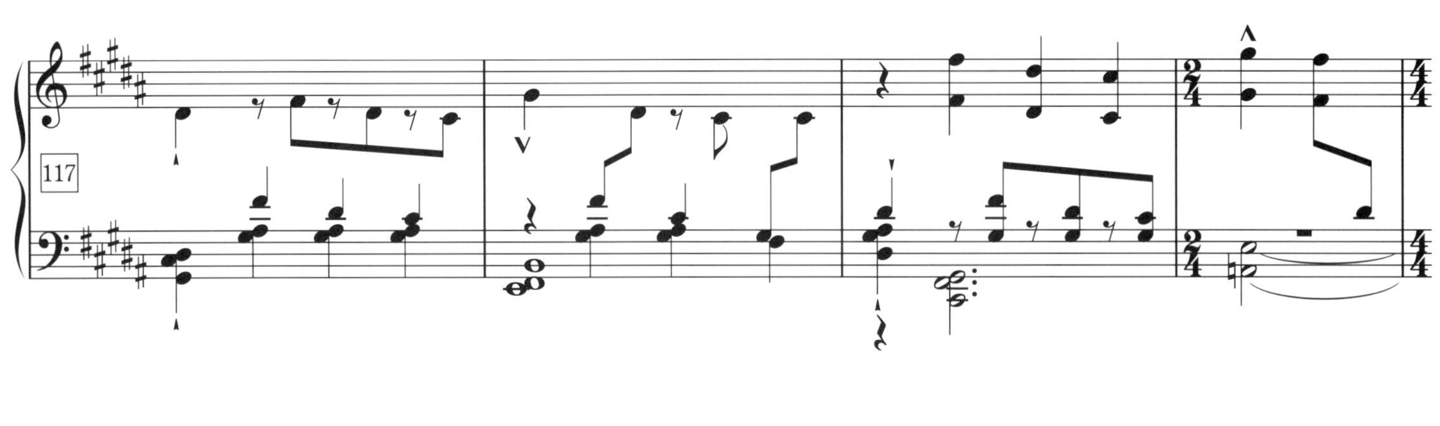
117

121

sf
124
cresc.

poco allarg.
127
ff
sff

해 설

바르토크의 피아노 음악 ___ 2

작품 해설 ___ 4

주요 피아노 작품 알람 ___ 10

교정 보고 ___ 11

연주 노트 ___ 15

가사 번역 ___ 27

바르토크의 피아노 음악

이토 노부히로(伊東信宏)

'클래식'이나 '전위'라는 음악의 장르 구분도, 지역이라든가 민족에 의해 구별해 오던 음악 양식도, 점차 그 경계가 애매해지면서 차이점마저 사라지고 있는 현대의 음악 상황에서 벨라 바르토크(Béla Bartók, 1881~1945)의 음악은 서서히 그 중요성을 드러내는 듯하다. 그의 음악은 바흐의 엄격함과 베토벤의 진중함을 계승하면서도 쇤베르크의 12음주의와 스트라빈스키의 신고전주의의 틈새를 비집고 야생동물과 같은 탄력성과 과민할 정도의 섬세함을 불가사의하게 융합시키고 있다.

20세기 예술의 틀에서 그 어떤 계파나 주의에도 속하지 않았던 바르토크 음악의 진가는 눈에 띄게 드러나지는 않았다. 그러나 그가 생을 마감한 지 반세기 이상이 지난 지금, 다양한 민족과 언어, 종교가 교차하는 헝가리와 그 주변 지역의 음악을 주시하며 시작된 바르토크의 창작 과제가 우리들에게 더욱 중요하게 느껴지는 것은 무슨 이유 때문일까?

피아노 독주 작품 분야에서 바르토크의 창작 특징을 살펴보면 교육적 작품과 민요 편곡 작품이 차지하는 비율이 상당히 높으며 특히 민요 편곡에 있어서 그 비중은 더욱 커진다. 그는 막대한 시간을 민요 조사 연구에 할애하였고 이렇게 수집한 많은 선율을 피아노 독주곡으로 작품화하였다.

교육적 작품에는 〈미크로코스모스〉와 같은 체계적인 작품 이외에 교육적 의도를 염두에 둔 작은 편곡집이 많다. 그리고 바흐, 하이든, 베토벤, 모차르트 등 대음악가의 작품 교정, 이탈리아 바로크 작품의 피아노 편곡 등을 포함하면 그가 피아노 교육을 위해 만든 곡집이 예상 외로 많음을 알 수 있다. 바르토크가 오랜 기간 부다페스트의 음악원에서 피아노 교수로 재직했다고는 하지만 20세기의 전위 작곡가로서는 상당히 이례적이라 할 수 있겠다.

지금까지의 설명을 하나의 좌표로 표현해 보면 아래와 같다. 수평선은 민속 음악의 실제 선율을 사용하였는지를 기준으로 하고, 수직선은 교육적 의도를 지닌 작품인지를 기준으로 하면 다음과 같은 좌표가 성립된다.

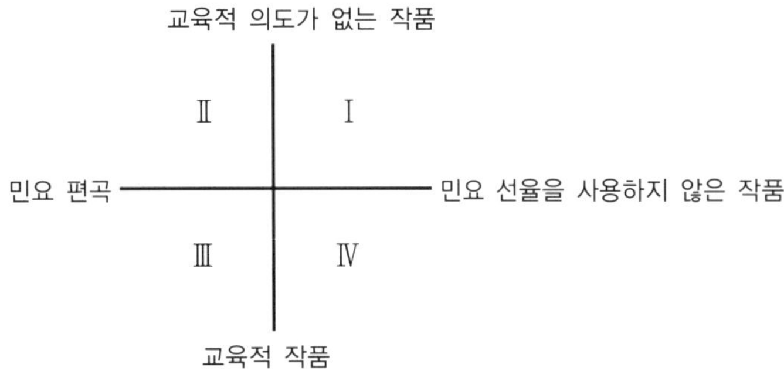

Ⅰ은 교육적인 작품도 민요 편곡 작품도 아니며, 통상적인 의미에서의 연주회용 피아노 독주 작품이다. Ⅱ는 교육적인 작품은 아니지만 민요 선율을 사용한 곡들인데, 예를 들면 〈헝가리 농민가 즉흥곡〉(헝가리 농민가를 근거로 한 즉흥곡)이 이 영역에 해당된다. Ⅲ은 민요 편곡 작품이면서 교육적인 작품인데 〈어린이를 위하여〉가 여기에 해당된다. Ⅳ는 교육적인 작품이지만 민요 선율을 인용하지 않은 곡으로서,

〈미크로코스모스〉의 대부분이 이 영역에 해당된다.

이렇게 좌표를 통하여 살펴보았을 때, 바르토크는 모든 영역에서 상당한 양의 작품을 썼다고 할 수 있다. 또한 좌표에서는 바르토크의 피아노 독주 작품의 특징이 확연히 드러나는데, 이는 그의 작품을 살펴보는 출발점이 될 수 있을 것이다.

그리고 바르토크의 경우 시계열적(時系列的)인 고찰도 필요하다. 그의 창작에는 이따금 공백기가 보이는데 피아노 독주곡의 창작에 있어 그 공백기를 기준으로 하여 다음과 같이 여섯 단계의 기간으로 나눌 수 있다.

우선 1906년 이전의 '습작기'인데, 이 시기에 피아노 독주곡 분야에서 바르토크는 개성적인 양식을 확립하고 있지 않았다. 그리고 1908~1913년은 '기초적 실험기'로 분류할 수 있다. 이 시기에 바르토크는 여러 가지 형식, 기법, 소재, 표현 내용 등을 담은 피아노 서법을 실험하였고 후에 창작의 기반으로 삼았다. 1915년은 루마니아 민속 음악을 소재로 한 작품이 수없이 쓰여졌는데 한 마디로 '루마니아의 해'였다고 말할 수 있다. 1918~1922년은 '과도적 실험기'로 볼 수 있으며 산발적으로 특수한 작품이 몇 가지 탄생되었다.

그리고 1926년은 '피아노의 해'라고 할 수 있으며, 이 해에 새로운 형식에 의한 본격적인 작품들이 만들어졌다. 이후 그의 창작은 피아노 독주곡 분야에서 멀어지게 되었으나 피아노가 그의 음악에서 차지하는 비중은 결코 작았다고 할 수 없으며 단지 피아노가 사용되는 작품이 협주곡이나 실내악 작품으로 옮겨갔을 뿐이다. 마지막으로 1932~1939년의 '미크로코스모스 시기'인데, 이 시기에 바르토크는 그때까지 쌓아온 다양한 어법과 기법을 다시 한번 이 교육적 작품 속에 정리하게 된다.

앞에서 좌표로 나누어 본 네 개의 영역과, 6단계로 나눈 창작 시기, 이 두 가지의 스케일을 연계시켜 생각해 보면 바르토크 피아노 작품의 다채로움을 대강 파악할 수 있을 것이다. 그러나 그것은 표면적인 것에 불과하며, 실제로 각 작품을 깊이 파고들면 들수록 단순하지 않다는 것을 깨닫게 된다. 민속 음악을 실제로 인용하지 않았다고 해서 그 작품이 민속 음악과 연관이 없는 '추상적' 작품이라고는 할 수 없다. 어쩌면 본질적인 부분에서는 민속 음악의 영향을 받았다고 말할 수 있을지도 모른다(〈피아노 소나타〉 제3악장의 발상은 그의 민속 음악 연구를 배제하고는 평할 수 없지만 좌표로는 표현이 불가능하다).

예를 들면 〈모음곡〉은 1916년에 쓰여진 중요한 작품이지만 앞에서 논한 창작 시기와 일치하지 않는다. 개인적인 의견이지만 그 이유는 '기초적 실험기'의 마지막에 이르러 그것을 집대성했기 때문인 것으로 여겨지며, 또한 그 시기가 '루마니아의 해'와 겹치기 때문에 단순히 '시기'라는 측면만으로는 정확한 위치를 파악하기 어렵다. 이와 같은 문제는 여기에서 모두 상세히 논할 수 없기에 필자는 출발점으로서의 스케일만 제시하는 것으로 마무리짓고자 한다.

독자 여러분은 이 악보집을 직접 느끼고 그것을 상세히 해석해 가면서 각자 스스로 해답을 찾아보아야 한다. 바르토크의 음악은 독자 여러분의 기대를 충분히 만족시킬 만한 가치와 깊이를 지니고 있기 때문이다.

이토 노부히로(伊東信宏)

랩소디

Op. 1 / BB 36 a / Sz 26

[작곡 연도] 1904년 10~12월
[초　　연] 1905년 5월 25일
[헌　　정] 엠마 그루버

유년시절의 바르토크는 학교 교사이던 어머니가 전근하는 곳마다 따라다니며 당시 헝가리왕국의 주변부를 전전하며 지냈다. 당시 헝가리에서도 특히나 주변부의 소도시에서 자란 데다가 타고난 음악적 재능이 풍부했던 소년의 눈에 어려운 자작곡을 멋들어지게 연주하는 피아니스트 겸 작곡가인 F. 리스트와 E. 도흐나니 같은 음악가들이 얼마나 눈부시게 비쳤을지는 상상하기 어렵지 않다. 음악원 시절 바르토크의 이상은 바로 그와 같은 거장들이었는데 이《랩소디》는 그의 그러한 이상을 생생히 떠올리게 해주는 작품이다.

본디 '랩소디'라는 제목 자체가 그가 지향하는 바를 명확히 드러내고 있다. '랩소디'란 원래는 고대 그리스의 서사시 낭송가 랩소도스가 부르던 '노래'를 가리켰으나, 음악용어로서는 뭐니뭐니 해도 리스트의《헝가리안 랩소디》이래 민족적인 선율을 얼마간 인용하면서도 자유로운 형식으로 엮어낸 악곡을 가리키는 말로 정착한 것이었다. 바르토크는 음악원 시절, 한 애국적인 음악가로서 자국어 가사에 의한 가곡과 헝가리적인 색채를 담은 조곡(組曲) 등 민족적인 작품의 가능성을 가늠하는 시도를 잇따라 했는데, 그 모든 노력을 쏟아 부은 것이 이 작품이다. 1904년 여름, 바르토크는 다음 해에 예정된 연주회를 위해 피아노 연습에 집중하고 또 거기서 연주할 자신의 작품을 쓰기 위해 겔리체푸스터라는 피서지에 머물고 있었는데 이《랩소디》를 쓰기 시작한 것도 그곳에서였다.

그러나 바로 이 시기에 바르토크는 소년기 이래로 가지고 있었던 이상과는 다른 가능성에 맞닥뜨린다. 겔리체푸스터에서 우연히 이웃집 가정부가 부르는 노래에 반한 그가 농민들이 헝가리어로 부르던 민요에 눈을 뜨게 된 것이다. 그래서 이《랩소디》를 완성하는 한편 바르토크는 민요를 더욱 조직적으로 연구할 계획을 세우고 다음 해부터 거기에 빠져들게 된다. 그 후 그의 젊은 날의 이상은 바뀌어 음악가로서 자신이 지향해야 할 것도 변해갔다. 그리하여 이《랩소디》는 바르토크가 19세기적인 거장을 지향하던 순박한 청년으로서 남긴 최후의 작품이 되었다.

리스트적인 '랩소디'의 전통은 이 곡의 구조에도 반영되어 있다. 곡은 먼저 '메스토'로 시작해 '트랑퀼로'(117 ~)로 나아가 '프레스토'(428 ~)로 템포를 높여 가는데 이것은 느리고 빠른 두 부분으로 이루어져 빠른 무곡 부분에서 점점 템포가 빨라지는 19세기적인 '헝가리음악'의 전통을 따르고 있다. 곡의 첫머리에서 나타나는 증2도의 음정도 그러한 전통을 의식한 것일 것이다. 단지, 여기에는 과거의 전통에 입각한 아나크로니스틱한 음악이라고만 하기에는 부족한 어떤 요소도 포함되어 있다. 예를 들면, 561 부터 앞부분의 주제가 장조로 되돌아가는데(즉 전체는 민족적인 느리고 빠른 두 부분이라기보다는 고전적인 느리고 빠른 느린 세 부분의 구성에 가까워진다), 이것은 민족적인 전통을 보편적인 형식원리로 연결하려는 젊은 바르토크의 시도로 볼 수 있다(약 20년 후의 현악 4중주곡 제3번에서 다시금 이러한 시도가 나타나게 된다). 또 '프레스토'(428 ~)의 경과구는 리스트풍의 랩소디적인 음악과 바르토크풍의 알레그로 바르바로적인 음악의 정확히 중간에 있는 것처럼 울린다. 그것은 바로 당시 바르토크의 눈앞에서 교차하고 있던 기로였던 것이다.

치크 지방의 3개의 민요

BB 45 b / Sz 35 a

[작곡 연도] 1907년 12월

바르토크가 민요의 매력에 눈을 떠서 그 수집에 뜻을 두게 되는 것은 앞에서도 소개했듯이 1904년이지만, 처음에는 그 방식이 조직적이지 않고 산발적인 데 그쳤다. 1907년 여름에 한 달 넘게 치크 지방을 여행한 것은 그런 의미에서는 최초의 본격적인 수집여행이라고 할 만 했다. 치크 지방이란 지금은 루마니아가 된 트란실바니아의 치크세레다(현재의 미르크레아취크)를 중심으로 한 지역이다. 현재도 이 지역에는 세케이인이라 불리는 헝가리계 주민이 많다. 이 작은 마을까지는 철도가 깔려 있었지만 거기서부터는 마차와 도보로 여행할 수밖에 없어 이러저러한 곤란함이 그를 기다리고 있었다.

바르토크는 먹을 것과 잠자리를 대부분 마을사람들의 호의에 기댈 수밖에 없었다. 때로는 마구간에서 말과 함께 하룻밤을 보내는 일도 있었다. 마을사람들은 돌연 찾아온 신사를 경계하여 세금을 징수하러 온 관리인가 혹은 사기꾼인가 하고 그에 관해 캐고 들었다. 게다가 본 적도 없는 기계를 갖고 와서 그것으로 소리를 채집한다고 하니 두 번 다시 목소리가 나오지 않게 되는 것은 아닌지 두려워하는 노인도 많았다. '노래'를 모으고 있는 것이라고 해도 마을사람들은 무슨 영문인지 모르기 때문에 한결같이 교회와 학교에서 배운 조금이나마 격식 있는 노래를 부르려고 하여 바르토크는 그때마다 어릴 적 할머니에게서 배운 노래를 불러달라고 간청하지 않으면 안 되었다. 바르토크는 여행지에서 '인내, 자제, 참을성, 모두 개똥이다. 그만, 돌아갈 거요'라고 당시 사모하던 슈테피에게 편지를 썼다. 그렇지만 드물게는 근사한 민요를 몇백 곡이나 알고 있는 노인을 만나는 적도 있어, 그 무엇과도 바꿀 수 없는 이러한 체험이 바르토크를 여행에 나서지 않을 수 없게 했던 것이었다.

이런 여행을 하던 도중인 아마도 7일 전후의 8월에, 바르토크는 제르조테케뢰파탁(Gyergyótekeröpatak)이라는 마을에서 60세 가량 된 남자가 피리 부는 것을 듣는다. 바르토크는 그 선율을 처음에 피리와 피아노용으로 편곡해서 슈테피에게 헌정했다가 수개월 후 다시금 그것을 피아노 독주용으로 편곡했다. 그것이 이 《치크 지방의 3개의 민요》로, 바르토크가 피아노 독주곡으로 쓴 최초의 민속 음악 편곡이 되었다.

제목대로 여기에는 3개의 민속선율이 포함되어 있다. 제1곡에서는 단순한 골격을 지닌 선율이 마을사람들이 부는 피리 특유의 방식으로 많은 장식을 띠고 연주된다. 제2곡은 템포가 미묘하게 변화하는 에올리아선법의 선율이다. 제3곡은 대조적으로 박절이 확실한 선율이다. 어느 곡에서나 바르토크는 단순히 장단조적인 화성붙이기를 피하고 당시 그가 발견한 지 얼마 되지 않은 민속 음악이 지닌 싱싱한 매력을 전하려 했다. 제3곡의 선율은 《8개의 헝가리민요》 BB 47 / Sz 64 제5곡에서도 쓰이고 있다.

14개의 바가텔

Op. 6 / BB 50 / Sz 38

[작곡 연도] 1908년 초~5월
[초　　연] 1910년 3월 12일(파리, 작곡자 자신)

바르토크는 이 작품을 1908년에 동시대 음악에 관한 당대 제일의 감정가인 F.부조니에게 들려주어 절찬을 받았다. 부조니는 "이 작품은 현대의 가장 흥미롭고 개성적인 곡이다"라고 썼다. 확실히 이 책에 수록된 곡들과만 비교해도 앞의 《랩소디》로부터 단지 4년 동안에 나타난 양식적인 변화에 놀라움을 금치 않을 수 없다. 랩소디에서의 기교적이며 장식적인 두꺼운 서법이 여기서는 지극히 간소하고 대담하며 투명한 서법으로 한순간 변해버렸다. 현시점에서 되돌아보아도 대담한 실험적인 전위성과 민속 음악의 영향이 공존하는 이 작품의 성격은 동시대 음악 중에서도 특이한 것이었다고 할 수 있다.

제1곡은 이 작품 중에서도 특히나 독특하여 오른손에는 샤프가 4개, 왼손에는 플랫이 4개 붙는다. 이른바 복조의 선구로 간주되는 작품인데, 바르토크 자신은 나중에 이것을 '프리지아선법의 C장조'라고 했다. 확실히 실제 울림 면에서 볼 때 여기에는 하나의 중심성이 있어 복조적인 분열은 느껴지지 않는다. 이 곡의 정밀한 작은 양의 울림은 훗날 바르토크 작품의 중요한 특징이 되었다.

제2곡은, A♭음과 B♭음의 충돌이 점점 음역을 넓혀가는 건조한 해학으로 가득 찬 주제에 바탕을 두고 있다. 이 어법도 뒤에 《조곡》 등에서 이어지는데, 단지 이 곡은 D♭음 위에서 인상파적인 종결방식을 취하는 것이 흥미롭다.

제3곡은, 5음으로 구성된 오른손의 오스티나토가 일관적으로 흐르는 가운데 왼손이 안단테의 선율을 연주한다. 이 선율은 박절 면에서는 민요적인 움직임을 띠지만, 음 구조면에서는 증4도의 틀을 강조하고 있다.

제4곡은, '내가 목동이었을 때,……'라는 가사를 지닌 헝가리 민요의 편곡이다. 이 편곡은 민요의 각 음절에 화음이 붙을 수 있다는 발상에 의거한다는 의미에서는 소박하다. 아마 바르토크가 당시 시도하고 있던 다양한 민요의 화성붙임에 관한 실험 중 하나일 것이다.

제5곡은, 슬로바키아 민요의 편곡인데 여기서는 갑자기 변하여 한정된 종류의 화음연타에 의한 반주붙임이 시도되고 있다.

제6곡은, 명확한 3부분 구성, 3성부 서법, 5도 화음(왼손)과 3도 화음(오른손)에 의한 반주 등 일정한 틀을 설정하고 거기서 어떤 가능성이 있는가를 시도해본 실험적인 작품이다. 훗날 교육적인 작품의 맹아라고도 할 수 있다.

제7곡은, 빈번하게 변화하는 템포와 상세하게 지시된 루바토가 인상적인 소품이다. 이러한 곡에서 요구되는 신체적인 움직임을 내면으로부터 체험하는 것이야말로 연주하는 데 가장 어려운 과제가 될 것이다.

제8곡은, 바르토크가 어떤 편지에서 '가장 실험적인 곡'이라고 한 몇 곡 중의 하나이다. 여기서 실험이란, 오른손과 왼손의 타이밍이 어긋나는 데서 생겨나는 새로운 종류의 장식기법을 가리킬 것이다.

제9곡에서는, 반대로 오른손과 왼손의 유니즌이 기본이 된다. 바르토크의 스케치를 보면 이런 종류의 선율은 음의 이동이라는 점에서는 처음부터 망설임이 없었으나 단지 그것을 오선 상에 어떻게 기보하는가에 관해서는 꽤 시행착오가 있었던 듯하다.

제10곡은, 규모 면이나 깊이 면에서 이 곡집의 중심이라고 할 수 있다. 바르토크의 연주에는 구조적인 골격의 강력함과 그것을 능가하는 순발력이 서로 다투는 것 같은 순간이 있는데, 이 작품에서는 그러한 그의 연주풍이 들려온다.

제11곡은, 다시금 미묘한 리듬의 어긋남이 포인트가 되는 해학적인 음악.

제12곡은, 점점 빨라지는 같은 음의 연타와 반음계적 · 선법적인 음계의 상하행이 인상에 남는 감동적인 곡이다. 이러한 경과구의 미묘한 음의 선택을 바르토크가 실험에 어느 정도 써나갔는가에 대해 스케치를 더듬어보면 흥미롭다. 그는 출발음과 종착음만을 정해 놓고 그 경과음은 나중에 결정하는 식으로 하고 있다.

제13곡과 이어지는 제14곡은 모두 바르토크가 사모하던 슈테피 게이어와의 파국에 관련된 것이다. 본집 제1권의《2개의 엘레지》의 해설에서도 언급했듯이, 슈테피는 부다페스트의 음악원에서 장래를 촉망받는 바이올리니스트로 매우 매력적인 여성이었다고 한다. 바르토크는 그녀에게 빠져 젊은이다운 성급함으로 자신의 무신론적인 세계관을 쓴 장문의 편지를 부쳤다. 슈테피 쪽은 이러한 접근에 당황한 듯 바르토크에게 부정적인 편지를 쓴다. 〈렌토 푸네브레(장송적인 렌토)〉의 지시가 있고 제목에 '그녀는 죽었다……'는 말을 쓴 제13곡은 이 부정적인 편지를 받은 당일 쓰인 것이다. [22] 끝부터 나타나는 des–f–as–c(D♭–F–A♭–C)의 음형은 과거 바르토크가 "이것은 당신의 모티브입니다"라고 써서 보낸 것으로 그 위에는 (meghalt...) '죽어버렸다……'라는 문자가 써 넣어져 있다.

제14곡 '내 연인은 춤춘다……'는 같은 모티브를 냉소적으로 다룬 미친 듯한 왈츠다. 나중에 이 곡은 관현악곡으로서 다시 편곡되어《2개의 초상》중의 제2곡 '추한 것'이 된다.

7개의 스케치

Op.9 b / BB 54 / Sz 44

[작곡 연도] 1908년~1901년 8월
[초　　연] 1921년 2월 27일(제4곡만. 작곡자 자신)
[헌　　정] 제1곡은 마르타 치그라
제3곡은 졸탄 · 엠마 코다이 부처

제1권 해설에서도 언급했듯이 이 작품이 쓰인 무렵, 바르토크는 음악적인 면으로나 사생활 면에서 다양한 경험을 쌓으며 실험을 거듭하고 있었다. 이《7개의 스케치》는 이 시기에 쓰인 다양한 소품 중에서 다른 곡집에 넣지 않은 것을 모은 곡집이라 할 수 있다. 따라서 '조곡'적인 통합성이 약하여, 처음 나선 루마니아어 지역에서의 민요 수집 성과를 반영한 것이 있는가 하면(제5, 6곡), 새로운 만남에 촉발된 것도 있으며(제1곡), 또 순수하게 작곡하는 데 실험으로서 쓰인 것도 있다(제7곡). 하지만 각각의 곡을 보면, 버리기 어려운 매력을 지닌 것이 많다.

제1곡 〈한 소녀의 초상〉의 '한 소녀'란 마르타 치그라를 가리킨다. 앞 곡의 슈테피와 파국을 맞은 지 약 반년 후, 바르토크는 첫 아내가 되는 이 소녀와 만난다. 그녀는 바르토크가 피아노를 가르치던 학생 중 한 사람이었다. 슈테피가 이미 재능을 인정받은 연주가인 데 반해, 마르타는 아직 14세로 매우 헌신적인 성격을 지닌 여성이었다. 적어도 초기에 두 사람의 관계는 마르타의 순종에 의해 성립한 듯하다. 이 곡의 온화한 화성 그리고 가련한 종지([61]~[62]의 h–gis–e–cis(B–G♯–E–C♯)가 슈테피의 모티브를 일부분 변화시켜서 역방향으로 한 듯이 들리는 것은 우연일까)에서 그녀의 사람됨을 엿볼 수 있다.

제2곡 〈시소놀이〉의 한 초고에는 "1909년 2월 16일 오후 6, 7, 8, 9, 10, 11시의 영원한 추억에"라고 쓰여 있는데 마르타와의 사이에 있은 뭔가에 대한 기억을 암시하는 것이라고들 한다. 단조와 장조가 병존하는 복조적인 구조를 지닌다.

제3곡은, 졸탄 코다이와 엠마의 결혼에 즈음해 쓰였는데, 1910년 8월의 날짜가 기입되어 있다. 코다이는 바르토크와 같은 시기에 음악원에 다녔을 터인데 실제로 바르토크가 그를 알게 된 것은 졸업 후 1905년 바로 엠마의 살롱에서라고 한다. 코다이는 바르토크보다 한 살 아래였지만 민속 음악 연구에 관해서는 학문적인 기초를 지니고 있어 언제나 바르토크가 그의 방법론을 배우는 관계였다. 이 곡에 쓰여 있는 것도 신뢰할 수 있는 존경하는 친구로서의 코다이의 초상일 것이다.

제4곡의 분산화음적인 서법에 관해 바르토크 자신은 만년에 '낡은 양식'에 의거하고 있다고 했다. 확실히 이 시기에 쓰인 다른 작품과 비교해 보면 인상주의적인 울림이 나는 작품이다.

제5곡은 부제에도 있듯이 루마니아 민요의 선율을 이용하고 있다. 바르토크는 당초 헝가리어에 의한 민요만을 모으고 있었으나, 1909년 8월 초 루마니아계 주민에게서 루마니아어 민요를 수집했다. 이 제5곡은 그 성과를 편곡한 것이다. 3부분의 구조, a–h–dis–e–fis(A–B–D♯–E–F♯)라는 반음을 포함한 5음 음계 등 헝가리 민요에는 보이지 않는 루마니아 민요의 특징이 이 선율에서는 느껴진다.

제6곡 〈발라키아풍으로〉는 마찬가지로 루마니아 민요를 제재로 하고 있으나(발라키아란 현재의 루마니아 남부를 가리킨다) 원래 있는 선율을 편곡한 것은 아니고 스스로 창작한 선율을 쓰고 있다. 이 선율은 e–b(E–B♭)([1]–[2] 등), c–fis(C–F♯)([9] 등)라는 증4도가 e–h(E–B)([3] 등), c–f(C–F)([11] 등)의 완전4도와 공존하고 있는 데 특색이 있으며, 당시 바르토크에 의한 루마니아 민요의 이해 수준을 드러내고 있다.

제7곡은 온음 음계(온음만으로 구성)와 온음계(장음계 또는 단음계)가 조합된 문자 그대로 실험적인 작품이다.

3개의 부르레스크

Op. 8 c / BB 55 / Sz 47

[작곡 연도] 1908년 11월(제1곡)
1910년(제3곡)
1911년 5월(제2곡)
[초　　연] 1912년 4월 12일(일부)
전곡의 초연은 1921년 11월 12일(부다페스트, 작곡자 자신)
[헌　　정] 제1곡은 마르타 치그라

《3개의 부르레스크》는 1912년 초에 부다페스트의 로자베루 지사에서 출판되었다. 표지는 바르토크의 사촌인 엘빈 보이트가 디자인한 것으로 아르누보풍의 문자와 장식을 기본으로 고슴도치 같은 동물 위에 올라타는 난쟁이가 그려져 있는데, 이 곡집의 유희적인 성격과 잘 어울린다. 위에 적힌 작곡연대를 보아도 알 수 있듯이, 이 3곡은 꽤 시간을 두고 쓰여진 것으로 원래 전곡을 꿰뚫는 구상 같은 것이 있었다고는 생각할 수 없다. 아마 바르토크가 때때로 보여주는 장난기 같은 것이 간헐적으로 이러한 곡을 낳아, 그것들이 훗날 통합되었을 것이다.

제1곡 〈다툼〉은 악센트의 간격이 점점 짧아져가는 8분 음표 단위의 경과구에 의한 부분과 메노 비보의 중간부, 그리고 다시금 8분 음표에 의한 재현이라는 3부분으로 되어 있다. 이 다툼은 성인들 간의 의견 대립이라기보다도 훨씬 어린애 같은 말다툼과 찡그린 얼굴 같은 것을 나타내고 있는 것이리라. 마르타에게 바쳐졌다는 것이 의미심장한데, 두 사람 사이의 작은 다툼의 추억과 관계있을지도 모르겠다.

제2곡은 나중에 관현악곡으로도 편곡된 〈거나한 기분〉. 제목대로 콧노래를 흥얼거리며 갈짓자걸음을 걷는 기분 좋은 마을사람의 모습이 그려져 있다. 이 곡에 관해서는 바르토크 자신이 1929년에 남긴 녹음을 반드시 참고로 해야 할 것이다. 변덕스런 템포의 변화, 미묘한 좌우 손 리듬의 어긋남, 딸꾹질과 같은 돌연스런 멈춤 등 다양한 뉘앙스가 생생하게 연주되고 있다.

제3곡도 기본적으로는 유머러스한 곡이기는 하나, 다른 곡에 비하면 얼마간 그늘이 느껴진다. 여기서 애용된 반음계적인 상하행(특히 [57] ~)이 같은 시기에 쓰인 《푸른 수염 공작의 성》에서는 눈물과 피와 관련된 처참한 음 상징으로서 지극히 효과적으로 쓰이고 있어, 이 경쾌한 〈부르레스크〉에서의 용법과 비교해 보면 매우 흥미롭다.

무용 조곡

BB 86 / Sz 77

[작곡 연도] 1925년 여름(원곡인 관현악곡은 1923년 8월)
[초　　연] 1945년 2월 20일(뉴욕, 조르지 산도르, 또 관현악판의 초연은 1923년 11월 19일, 부다페스트, 도흐나니가 지휘함)

정부는 1923년에 부다페스트 합병 50주년을 축하하는 식전에서 연주될 작품을 바르토크, 코다이, 도흐나니 3인에게 위촉했다. 헝가리는 제1차 세계대전에서 패전국으로 되어 국토의 약 3분의 2를 잃은 직후였는데, 이 식전에는 부흥의 염원이 담겨 있었다. 그리고 1920년 단기간에 끝난 헝가리 · 소비에트정부에서 주도적인 역할을 해낸 이 3인의 음악가(혁명정부가 쓰러진 뒤의 혼란기에 군사정권이 들어섰는데, 그 정부와 이들 음악가는 대립하는 입장에 있었다)에 대해 정부측은 다소나마 유화적인 자세를 보인 것이다. 그 결과 코다이의 《헝가리 시편》, 도흐나니의 《축전 서곡》이 태어났고 또 바르토크는 《무용 조곡》(관현악판)을 썼다. 즉 이 작품은 그것이 성립하게 된 경위를 보면 정치적인 색채를 띠지 않을 수 없었던 것이다.

여기서 나타나는 자세에 관해 바르토크는 당시 많은 것을 말하려 하지 않았다. 바르토크는 정부의 타협을 순순히 받아들일 것 같은 사람이 아니었기에 거기에는 꽤 구체적인 프로그램이 짜여 있었던 듯하나, 그것을 자유롭게 말로 할 수 있을 정도로 당시 헝가리는 자유롭지 않았던 것이다. 이 프로그램에 관해서는 뒤에 바르토크가 쓴 다음과 같은 초고에서 확실하게 읽어낼 수 있다.

"이 곡은 6개의 무곡적인 악장으로 이루어져, 그 중 하나인 〈리토르넬로〉는 그 이름대로 라이트 모티브와 같이 몇 번인가 되풀이한다. 모든 악장의 주제와 소재는 농민 음악의 모방이다. 작품 전체의 목적은 농민 음악의 이상적인 상태를 만들어 내는 것, 각각 특정한 타입의 음악을 악장별로 늘어놓는 것으로서 각 민족의 농민 음악을 하나된 것으로 통합하는 것이다."

곡 전체의 구조는 I-R-Ⅱ-R-Ⅲ-Ⅳ-R-V-Ⅵ 로 도식화할 수 있다(R은 반복해서 나타나는 주제, 다시 말해 리토르넬로를 나타낸다). 이 리토르넬로 주제에 관해 바르토크는 "헝가리의 어떤 민속적인 선율을 충실히 모방한 것으로 그 출처에 관해서는 경험 있는 민족음악학자도 속아 넘어갈 정도다"라고 하고 있다. 또 I 부분의 제1주제는 "아랍풍의 원시적인 농민 음악을 떠올리게 하지만 그 리듬은 동유럽의 민속 음악이다." Ⅱ 부분은 '헝가리적인 성격을 띠고' 있다고 여겨지며 Ⅲ 부분에서는 헝가리의 백파이프풍의 음악(1 ~)과 루마니아적인 농촌의 바이올린의 요소(46 ~)가 교대로 나타난다. 곡 중에서 진정시키는 역할을 하는 Ⅳ 부분에서는 '아랍 도시 음악의 모방'이 단편적으로 이용되는데, 이것은 바르토크가 1905년 탕제르에서 들은 음악의 기억과 관계있는 것은 아닌가라는 논자도 있다. V 부분에 관해서 바르토크는 한 편지에서 "지극히 원시적인 것으로 단지 원시적인 농민 음악이라고 밖에 규정할 도리가 없는 것"이라고 말하고 있다. 그리고 Ⅵ 부분에 이르러서는 이제껏 나타난 소재가 다시 되돌아온다. 즉 36 부터의 I 주제, 55 부터의 Ⅲ 주제, 65 부터의 V 주제, 94 부터의 Ⅱ 주제, 나아가 112 부터의 R 주제 등이다.

1923년 관현악판의 초연은 바르토크의 의도가 전해졌는지의 여부와는 별도로 성공리에 끝났고, 그 후 재연도 반복되었다. 인기도 있어 출판사로부터 같은 곡의 피아노 독주판을 쓰도록 권유받았는데 그에 응해 쓰인 것이 본서에 수록된 판이다. 하지만 1925년 여름에 쓰인 이 판은 오랫동안 연주되지 않다가(바르토크 본인도 이것을 연주회에서 다루려 하지 않았다), 1945년이 되어 헝가리인 피아니스트 조르지 산도르에 의해 간신히 초연되었다.

9개의 피아노 소품

BB 90 / Sz 82

[작곡연도] 1926년 여름~10월

[초 연] 1926년 12월 8일(〈4개의 대화〉에서 한 곡만을 생략하고 초연되었다, 부다페스트, 작곡자 자신)

제2권 해설에서 말했듯이 바르토크는 1926년 여름에 돌연 피아노 독주곡을 위한 스케치를 대량으로 썼는데, 거기서 그의 피아노곡 중에서 가장 중요한 작품군이 생겨났다. 비교적 규모가 큰 악장은 《피아노 소나타》의 3개의 악장과 《창 밖에서》의 5개의 악장으로 통합되었고 한층 간결하고 짧은 것이 이 《9개의 피아노 소품》이 되었다.

이 시기의 어법의 변화로는 장식적인 요소가 자취를 감추고 한층 간결한 선율 '선'과 화성적인 '색면'으로 분열 변화한 것, 그것과 관련해 신고전주의적인 경향 특히 바로크적인 대위법 요소의 강화 등의 경향을 지적할 수 있는데 이 《9개의 피아노 소품》에서는 후자, 즉 대위법적인 요소라는 점에서 독특한 실험이 시도되고 있다.

곡은 비교적 느슨한 구성을 지니는데 그 중에서 제1~4곡에 〈4개의 대화〉라는 부제가 붙어 있어 하나의 통합을 형성하고 있다. 이 곡은 기본적으로 2성으로 구성되어 카논적인 진행(특히 제1곡)과 한쪽이 정지해 있을 때 다른 쪽이 움직이는 상호 보완적인 진행(제3곡) 등을 중심으로 하는 2개 성부간의 '대화' 음악으로서 쓰여 있다. 후년의 《미크로코스모스》를 떠올리게 하는 곳이 있는데 사실 《미크로코스모스》에 수록되게 된 곡 중 몇몇(정확히는 제81, 137, 146번)의 스케치는 이 곡집의 스케치 중에 포함되어 있다. 이 단계에서는 피아노 기법상 작곡 면에서 교육적인 의도는 그다지 명확하지 않았는지 모르지만 적어도 그 발상이라는 점에서는 이 곡집이 《미크로코스모스》와 같은 뿌리를 지닌다고 할 수 있을 것이다. 그리고 《미크로코스모스》와 같이 여기서도 이 간소한 선율선의 얽힘이 자아내는 울림은 청결한 매력으로 가득 차 있다.

제5곡 〈미뉴에트〉는 확실히 3박자로 쓰여 있으나 꽤나 기괴한 울림의 음악이다. 여기서는 앞머리에 연주되는 선율이 이어지는 부분에서 음정관계가 확대되어(즉 반음계적인 선율이 온음계적으로 확장되어) 나타난다. 이것은 현악 4중주곡 제4번과 〈현악기, 타악기, 첼레스타를 위한 음악〉 등 이후 바르토크 작품에서 중요한 의미를 지니게 되는 기법이었다.

제6곡은 갑자기 가련한 울림을 지닌 〈노래〉로 바뀐다. 중심에 놓인 민요풍의 선율은 첫 번째는 온화한 대위선율에 의해 반주되다가(17 ~) 이어 8분 음표의 화음반주가 붙는다(37 ~). 전주와 후주는 이 화음반주에서 파생하고 있다.

제7곡의 〈야수의 행진〉이라는 제목은 무서운 짐승이 걷는 모습이라기보다는 아마도 그로테스크하며 우스꽝스런 〈곰의 춤〉(슈만의 연탄곡과 바르토크의 《소나티네》 제2곡에 같은 제목의 곡이 있었던 것을 기억하라)에 가까운 것으로 생각된다. 스트라빈스키의 《페트루슈카》의 혼잡한 장면을 떠올리게 하는 곳도 있다(참고로 《페트루슈카》의 혼잡에도 곰 부리는 곡예사가 나타난다).

제8곡 〈탬버린〉은 제목대로 타악기의 반주에 의한 경쾌한 무곡적인 성격을 지닌다. 전체는 타악기적인 전주(1 ~ 16), 오른손에 나타나는 선율(17 ~ 50), 다시금 타악기적인 간주(51 ~ 62), 왼손의 선율(63 ~ 89), 타악기적인 후주(90 ~ 128)의 5개 부분으로 나뉘어 있고 마지막 부분에는 한순간 카논적인 요소가 나타난다.

제9곡 〈서주 헝가리풍으로〉의 〈헝가리풍으로 all'ungherese〉라는 제목은 18세기 이래 자주 '헝가리-집시풍'의 음악에 쓰여온 것이다. 바르토크는 물론 이런 종류의 정형화된 '헝가리음악'에 비판적이었지만, 여기서는 굳이 그러한 낡은 제목을 써서 그것을 다시 한번 자기 나름으로 재해석하려 하고 있다. 그의 '헝가리풍' 음악은 그 자신이 수집·연구해온 마을 민요의 모방 그 자체이다.

주요 피아노 작품 일람

BB＝솜파이의 작품 번호 *1
Sz＝셀레시의 작품 번호 *2
Op.＝바르토크 자신의 작품 번호

BB	Sz	Op.	곡 명 (영어)	작곡 연도	수록책
36a	26	1	랩소디 Rhapsody	1904	Ⅲ
45b	35a		치크 지방의 3개의 민요 Three Hungarian Folksongs from the Csík District	1907	Ⅲ
49	41	8b	2개의 엘레지 Two Elegies	1908~1909	Ⅰ
50	38	6	14개의 바가텔 Fourteen Bagatelles	1908	Ⅲ
51	39		10개의 쉬운 소품집 Ten Easy Pieces	1908	
53	42		어린이를 위하여 For Children	1908~1909	
54	44	9b	7개의 스케치 Seven Sketches	1908~1911	Ⅲ
55	47	8c	3개의 부르레스크 Three Burlesques	1908~1910	Ⅲ
56	43	8a	2개의 루마니아 무곡 Two Romanian Dances	1909~1910	Ⅰ
58	45	9a	4개의 만가 Four Dirges	ca.1909~1910	Ⅰ
63	49		알레그로 바르바로 Allegro Barbaro	1911	Ⅰ
66	52~53		피아노 1학년생 First Term at the Piano	1913(1929)	
67	57		루마니아의 크리스마스 노래 Romanian Christmas Carols	1915	Ⅰ
68	56		루마니아의 민속 무곡 Romanian Folk Dances	1915	Ⅰ
69	55		소나티네 Sonatina	1915	Ⅰ
70	62	14	모음곡 Suite	1916	Ⅰ
79	71		15개의 헝가리 농민가 Fifteen Hungarian Peasant Songs	1914~1918	Ⅱ
80b	66		3개의 헝가리 민요 Three Hungarian Folk Tunes	1914~1918	
81	72	18	3개의 연습곡 Three Studies	1918	Ⅱ
83	74	20	헝가리 농민가에 의한 즉흥곡 Improvisations on Hungarian Peasant Songs	1920	Ⅱ
86	77		무용 모음곡 Dance Suite	1925	Ⅲ
88	80		피아노 소나타 Sonata for Piano	1926	Ⅱ
89	81		창 밖에서 Out Doors	1926	Ⅱ
90	82		9개의 피아노 소품 Nine Little Piano Pieces	1926	Ⅲ
92	84		민요 선율에 의한 3개의 론도 Three Rondos on Folk Tunes	1916~1927	Ⅱ
105	107		미크로코스모스(전6권) Mikrokosmos	1926, 1932~39	
113	105		작은 모음곡 Petite Suite	1936	

*1. László Somfai, Thematische Béla Bartók-Verzeichnis, 1995.
*2. András Szőllősy, Bibliographie des œuvres musicales et écrits musicologiques de Béla Bartók, 1956.
[참고 문헌] David Yeomans, Bartók for Piano; A Survey of His Solo Literature, 1988.

교정 보고

야마자키 타카시(山崎 孝)

일본 춘추사판《바르토크 피아노 작품집》(제1기, 전3권)에는 바르토크의 피아노 예술을 이해하는 데 중요한 독주곡이 수록되어 있다(각 권 수록 작품은 해설편 10쪽의 표 참조).

1. 교정의 원칙으로는 초판 악보(작곡자가 관계한 초판의 개정판 포함)에 근거하여 현재 출판된 판을 기본으로 하였다.

■ 초판 및 현재 출판된 판은 다음과 같다(맨 앞은 약어).

RK Rozsnyai Károly, Budapest 로즈냐이 판
Rv Rózsavölgyi & Co., Budapest 로자웰지 판
EMB Editio Musica Budapest 에디티오 뮤지카 부다페스트 판
UE Universal, Wien 유니버설 판
B&H Boosey & Hawkes, London 부지 & 호크스 판

■ 초판 악보의 계보를 잇는 중요한 새로운 개정판으로서 피터 바르토크의 새 개정판(1992~2000)이 있는데, 이것은 앞의 EMB판, UE판, B&H판의 개정판이다.

■ 참고 자료

- 자필 악보(팍시미레) 〈2개의 루마니아 무곡〉, 〈소나타〉, 〈창 밖에서〉. (모두 EMB)
- 벤자민 스초프가 감수한 바르토크 아카이브 판(Dover 판, 1981년).
- 파프 마사코가 교정한 《바르토크 피아노 작품집》(음악지우사, 2000년)의 자료 비판에 의한 새로운 교정판.

이외에 셔머 판 등 여러 출판 악보도 있으나, 세부 내용을 참조하는 정도로 활용하였다.

2. 교정자의 텍스트 첨가 및 보충 등은 [ ]로 표기하였는데, 기보가 번잡해지거나 그 자체가 명백한 경우에는 [ ]로 표기하지 않고 중요한 부분만을 골라 교정 노트에 기록하였다. 임시 기호에 관해서는 원칙적으로 초판의 기보 상태를 따랐고, 오해의 소지가 없는 한 별도로 보충하지 않았다. 그리고 교정자의 주의 임시 기호 보충에 관해서도 자세히 언급하지 않았다.

3. 각 곡의 타이틀은 초판 악보에 기재된 표기에 의했으며, 헝가리어와 우리말 번역을 병기하였다.

4. 페달 표기는 작곡자의 지시만으로 한정하였다(작곡 시기에 따라 미묘하게 변화되고 있음). 구체적인 페달 사용에 관해서는 특징적인 부분만을 연주 노트에 기재했다.

5. 운지법에서, 이탤릭체 숫자는 작곡자가 표기한 것이며, 일반 숫자는 교정자가 제안한 것이다. 손을 교체해야 할 필요가 있는 경우에는 m.d.(오른손), m.g.(왼손) 또는 ㄴ(오른손), ㄱ(왼손)으로 보충하였다(특히 주의해야 할 경우에는 연주 노트에 기재함).

6. 바르토크가 각 악곡에 연주 시간을 표기한 작품은 '연주 노트'에서 해당곡의 타이틀 옆에 연주 시간을 표기하였다(악보상에는 별도로 표기하지 않음).

7. □의 숫자는 마디 번호를 나타내고, 상 · 중 · 하는 각 악보의 상단, 중단, 하단을 나타낸다.

8. 음높이 표시는 독일 계명을 사용하였다
(높은음자리표(G clef)시작 G음에서 위로 두번째 칸=a^1).

전해지는 이야기에 의하면, 바르토크는 악보 교정에 임할 때 무척 신중하고 엄격한 자세로 임했으며, 초판 출판 후에도 교정을 보았다고 한다(속도 표기, 연주 시간, 셈여림, 아티큘레이션 등을 비롯해 음향의 형상에 이르기까지).

그러나 완벽함을 추구하고자 했던 작곡가의 생각과는 달리, 악보 출판에서 발생되는 문제는 평생 그를 고민하게 만들었다. 마지막 작품인 〈비올라 협주곡〉을 의뢰받은 바르토크는 프리무로즈에게 보낸 편지에서 다음과 같이 아쉬움을 토로하고 있다.

> '총보를 작성하는 데 시간이 걸릴 것으로 생각됩니다. 부지 & 호크스사가 담당하고 있습니다만, 제가 알기로 그 회사는 현재 악보 제작 담당자가 부족한 것으로 알고 있습니다.'
>
> (1945년 5월 8일)

이처럼 악보의 제작 단계에서 바르토크는 완전하게 만족하지 못하였던 것 같다. 그리고 바르토크 스스로가 지향했던 '설계도와 같은 정확함'이 텍스트에 충분히 반영된 것도 아니

었기에 작곡자의 의도를 제대로 만족시키지 못했던 것으로 생각된다. 실제로 〈헝가리 농민가에 의한 즉흥곡〉과 〈3개의 연습곡〉 등은 기존 판 모두가 미숙한 악보 분할로 인해 복잡한 텍스처를 더욱 답답하게 만들어버린 듯한 느낌이 든다. 본서에서는 악보 분할과 기보 상태를 철저하게 연구하여 읽기 쉽도록 작성하였다.

그리고 초기 작품은 기보 시스템에도 어느 정도 문제가 있었던 것 같다. 〈14개의 바가텔〉, 〈10개의 쉬운 소품집〉에는 작곡자가 직접 주의 사항을 기입했는데, 기보 방법, 악전의 약속에 관해 언급하고 있다는 점을 주목하고 싶다(임시 기호는 부가된 음표에만 유효하며, 제자리표와 변위 기호의 생략이 기입되어 있다).

이와 같은 영향은 〈2개의 루마니아 무곡〉, 〈4개의 만가〉 등에도 나타난다. 이런 점을 미리 이해한다면 오해의 여지가 없으나, 음표가 상당히 많은 〈2개의 엘레지〉에 있어서는 임시 기호의 유효 범위를 추측하기 곤란하다. 이런 부분에 대해 본서에서는 자필 악보의 기보 상태를 바탕으로 초판에 나타난 방식을 그대로 따랐으나, 악보를 해석하는 데 지장이 있을 경우에만 임시 기호를 합리적으로 정리하여 표기하였다.

앞으로 본격적으로 원전을 분석한 판이 나오기를 기대해 보며, 필자는 여러 자료를 바탕으로 완성된 피터 바르토크의 새로운 개정판과 자료 비판을 축으로 하는 파프 마사코 판으로부터 큰 도움을 받았음을 밝힌다. 그리고 교정에 있어서는 바르토크 알히프의 라스로 솜파이 교수 및 피아니스트인 졸탄 코치슈 씨의 귀중한 조언을 받았다. 특히 부다페스트의 바르토크 알히프에서는 솜파이 교수의 호의로 바르토크의 1차 자료를 열람할 수도 있었다. 하지만 이 판의 최종적인 책임은 본 교정자에게 있다는 점은 두말할 필요도 없을 것이다.

랩소디

[기본판] EMB(Z.1971)

바르토크 알히프가 소장하고 있는 자필 악보 및 피아노와 오케스트라를 위한 편곡판 EMB(Z.2117 2대 피아노판)도 참조. 기본판과 자필 악보 · 편곡판의 다른 점에 관해서는 악상상의 각서 등 중요한 항목에 대해서만 기재.

[1] 왼손 음표기둥이 자필 악보 · 편곡판 둘 다 아래쪽(본서는 그것에 따른다).

[3] 상 1안 자필 악보에서는 명백히 32분 음표(기본판의 16분 음표는 실수).

[7] 하 2안 자필 악보 · 편곡판에서는 붙임줄로 묶인 D가 누락되어 있다(B/A/B).

[8] 하 1안 자필 악보 · 편곡판에서는 화음 F/D/F(기본판의 F/B/D는 실수).

[8] 2 자필 악보는 *dim.*, 편곡판에서는 *poco cresc.*(본서는 자필 악보에 따른다).

[14] 상 1안 자필 악보 · 편곡판에 있는 스타카토가 기본판에서는 누락되어 있다(보충).

[14] 상 2안 자필 악보 · 편곡판에 있는 A에 붙은 ♭이 기본판에서는 누락되어 있다(보충).

[16] ~ [17] 상 자필 악보에 스타카토와 악센트 기호가 있다(참고로 편곡판에서는 오보에가 연주한다).

[18] 자필 악보 · 편곡판은 2마디로 분할(2배의 음가를 취한다).

[20] 하 2안 기본판에는 *m.d., m.g.*의 지시(자필 악보에는 없다). 작곡자의 지시인지 아닌지 의심스러우므로 본서에서는 삭제.

[21] 편곡판에서는 $\frac{2}{4}$로, 제1박이 16분 음표로 되어 있다.

[24] 하 1 자필 악보에서는 16분 쉼표와 64분 음표.

[31] 상 1 맨 처음 화음이 자필 악보에서는 B/A/F♯/B. 기본판에서는 F♯이 D♯로 되어 있다. 자필 악보에 따른다(단, 편곡판은 기본판과 같으나 오케스트라의 반주가 F♯를 보완하고 있다).

[55] 상 2안 자필 악보에서는 32분 음표 셋잇단음표가 붙임줄로 묶인 64분 음표로 되어 있다.

[73] ~ [74] 자필 악보에 ＜(본서에서는 채용했다).

[83] 기본판, 속도 지시의 a tempo를 [85] 로 이동(자필 악보에서 [85] 에 Tempo I°). 참고로 편곡판도 기본판과 같으나 오케스트라 개시는 [85].

[358] 기본판에는 8⌐⌐⌐⌐⌐ 가 누락되어 있다(보충).

[434] ~ [435], [450] ~ [451] 자필 악보에서는 ＜와 *subito p*(편곡판은 기본판과 같음).

[480] 자필 악보에 stringendo로 되어 있다.

491 자필 악보에 *ritard.*로 되어 있다.
561 하 기본판에서는 아르페지오 분할이 16분 음표이어서 오해하기 쉽다. 자필 악보에서는 32분 음표와 64분 음표로 정확(본서는 자필 악보의 기보 방식을 채용했다). 99 를 참조. 편곡판은 오케스트라와 협주로 피아노는 큰 아르페지오만이다.
561 중 3안 기본판, 저음부 기호가 누락되어 있다(자필 악보에는 명료하게 기술되어 있다).
575 상 자필 악보에서는 음표기둥이 교차하고 있다(편곡판에서는 피아노에서 호른으로 넘어가는 부분). 본서에서는 자필 악보의 음표기둥 형태를 따른다.

치크 지방의 3개의 민요

[기본판] EMB

제3곡

기본판에서는 2단의 큰보표에 의한 기보법이지만, 본서에서는 3단보로 했다.

14개의 바가텔

[기본판] EMB

*텍스트의 세부 확인·기보 모양에 관해서는 적절히 RK(292/338)를 원용했다. 거기에 부다페스트 바르토크 알히프가 소장한 자필 악보 및 스케치원고, 초판의 개정본 등을 참조했다.

자필 악보의 표지에는 N.B.로서 굵은 선 지정, 가는 선 의 지정이 있다. 또 >기호는 통상의 악센트로서, ^기호는 강한 악센트로서의 지정이다. 메트로놈 기호의 지정은 등호가 아니라 슬래시(♪/66)로 되어 있다. 이들 정보를 참고할 수 있게 기록해 두고자 한다(중요한 부분만).

제1곡

13 ~ 14 굵고 폭넓게 가 RK와 자필 악보에 기입되어 있다.
18 하 바르토크 자신이 오른손으로 치라는 지시를 하고 있다.

제2곡

17 굵고 폭넓게 가 RK와 자필 악보에 기입되어 있다.

제4곡

5 ~ 8 RK338은 반복기호로, 9 ~ 12 를 생략하고 있다.

제5곡

45 ~ 47 굵고 폭넓게 기호가 기본판의 초판에 쓰여 있다.

제7곡

6 ~ 7 자필 악보에서는 (PB 18 PFC 1) ‖ 마디 세로줄 위에 16분 쉼표가 기입되어 있다(같은 식으로 43, 45).
88 ~ 89 하, 116 ~ 118 굵고 폭넓게 가 기본판의 초판에 자세히 쓰여 있다.

제10곡

9 ~ 10 , 44 , 61 , 76 모든 자료에 굵게 기호가 기입되어 있다.
8 , 19 , 23 ~ 24 , 25 ~ 26 , 51 , 56 , 57 , 65 스케치 원고에 굵게 가 기입되어 있다.
88 상 온음표 화음 오른쪽에 역아르페지오 기호를 더했다(자필 악보에 따른다).

제11곡

2 ~ 3 오선보 위쪽의 16분 쉼표의 위치를 본서에서는 1 ~ 2 사이로 이동(교정 악보에서 작곡자 자신이 수정함).
55 ~ 57 , 65 ~ 66 , 76 굵은 .
83 , 86 하 베이스 8분 음표에 >를 보충(자필 악보에 따른다).

제12곡

메트로놈 기호의 음표, 음가, 수치 등 모든 자료는 애매하며 다른 점이 있다. 각 연타음에 부가된 다이내믹에는 굵게 가 기입되어 있다.

7개의 스케치

[기본판] EMB

*적절히 RK와 자필 악보, 교정쇄, 필사 악보(마르타에 의함)를 참조.

제3곡

[10], [25] 필사 악보 · 교정쇄 · 초판 모든 자료의 ⟨ ⟩는 정확하지만 현재의 악보 EMB판(=기본판)에서는 위치가 어긋나 있다(본서에서는 수정).

[16] 초안에서는 >기호가 [1] 과 같이 더해져 있었지만, 초판 이래 이 >기호가 누락되어 있다(본서에서는 보충).

[26] F의 위치를 [25] 로 이동(모든 자료는 [25]).

제4곡

메트로놈 수치는 교정쇄에서 덧붙여 쓰여 졌다.

[11] 마디 끝의 콤마를 보충(각 자료에 의함).

제6곡

메트로놈 수치는 교정쇄에서 덧붙여 쓰여 졌다.

제7곡

메트로놈 수치는 교정쇄에서 덧붙여 쓰여 졌다.

[3] 하 붙임줄을 보충(초판에 따른다).

3개의 부르레스크

[기본판] EMB

제1곡

[53] 상 *leggerissimo*가 제1박에 이동(기본판 EMB판은 제3박 위)되어 있다.

제2곡

[49] 상 2 하행 아르페지오를 지시하는 ↓기호가 누락되어 있다(전후관계에서 보충).

제3곡

[10] ~ [18] 화음 아르페지오 기호가 완전한 것은 아니다(본서에서는 적당히 보충했다).

무용조곡

[기본판] UE

*이 기본판은 기보면에서 세부적인 문제가 많이 있으나, 정리하여 쓸 때는 독보의 용이함을 염두에 두고 음미한 다음에 작업에 임했다(변경한 곳에 관해서는 일일이 언급하지 않는다).

제3곡

[28] 하 1 테누토가 누락되어 있다(보충).

[71] ~ [75] 하 붙임줄이 누락되어 있다(보충).

제5곡

[13] ~ [14] 하 온음표에 붙임줄이 누락되어 있다(보충).

9개의 피아노 소품

[기본판] UE

제5곡

[21] 하 기본판에 임시기호 #가 누락되어 있다(보충).

야마자키 타카시(山崎 孝)

랩소디
(1904)

프란츠 리스트의《헝가리안 랩소디》와 기본 성격이 같은 낭만파 음악의 흐름을 잇는 대곡인 까닭에 지극히 뛰어난 기량이 요구되는 것은 말할 필요도 없다.

리스트는《헝가리안 랩소디》를 19곡 남겼는데 모두 자신의 연주회용으로 작곡하였고, 로마인의 소편성 오케스트라로 들은 것에서 주제를 구하여 그것을 부연하고 있다. 하지만 바르토크는, 악곡 형태는 리스트의《헝가리안 랩소디》를 참조했지만 자기의 악상에 의하고 있다. 프리스카의 모티브가 이미 라산에서 제시되도록 하여 일종의 순환 형식을 띠고 있는데, 리스트가 즐겨 쓴 순환 형식을 따랐다고 할 수 있다(참고로 리스트의《소나타 B단조》는 이 순환 형식의 걸작이며, 바르토크 자신도 음악원 학생 시절부터 능숙하게 잘 치던 곡이다).

《2개의 엘레지》와 유사한 즉흥연주 기교는 19세기 대피아니스트들의 거장성을 계승한 것으로 주로 왼손이 넓게 건반 위를 상하좌우로 활주(滑走)하여 큰 아르페지오를 넘실되게 하는 동안, 표정 풍부한 음악을 오른손이 연주하는 통상적인 수법을 여기서도 보이고 있다. 느린 부분(라산)에서는 날카로운 부점 리듬이 표정 풍부하게 연주된다(이 리듬을 연출할 때는 때로 겹점음표로 여겨질 만큼 과장하려는 유혹에 사로잡힐 정도다). 그리고 뒤이어 늘어선 섬세한 32~64분 음표가 필연적으로 재빠르고 날카로워지는 것은 말할 것도 없다. 또 아르페지오의 개시는 장중하고 그리고 점점 가속화하는 형태로 되어 있다.

연습 때 기본적으로 라산부는 메트로놈 수를 16분 음표=88~120으로 해서 정확히 계산할 것(그 중에서도 [17]~[19], [28], [30], [35], [37], [78], [90]~[92], [93]~[102], [103]~[116]은 이 방법으로 박절을 파악하면 좋다).

[1]에서 여린박의 세 번째 저음은 왼손으로 친다(편곡판에서 판단).

[10]~[15], [19]~[23] 연타되는 겹음과 화음은 즉흥적으로(좀 늦은 느낌으로 시작하여 차차 빠르게 육박하듯이).

[36]~[37] 왼손이 복잡하게 느껴지나 오른손과 다르게 싱코페이션이 있는 것에 지나지 않는다.

[42]~[55] 앞머리 모티브에서 발생한 것으로 순차하행 지향의 음계와 음형으로 알아둘 것.

[47] 카덴차는 왼손이 주체다. 왼손을 신중하게(오른손보다도 두드러지게 한다).

[61]~[66] 8분 음표가 1박으로 모든 피규레이션을 화음으로 통합해 연습하면 좋다.

[68]~[75] 앞머리 모티브가 화려한 음향에 파묻히지 않도록 균형에 주의하여 8분 음표로서 진행할 것.

[117] 빠른 부분(프리스카)의 도입부는 속도가 확정되기까지 점점 빨라진다. 8분 음표로 나눠 세기를 정확하게.

[252]~[256], [350]~[375] 넓은 음역에 걸친 모의(模擬) 연타음은 그룹별로 최고음에 악센트를 붙인다. 나아가 그것을 강렬하게 한 것이 [268]~[277], [294]~[303]이다.

[428]~[471] 오른손의 16분 음표가 매우 화려하다. 왼손이 연주기교의 주체가 되고 음악적인 리듬을 주도한다.

[472]~[560] 랩소디 특유의 최고조는 양손 엄지손가락의 확실한 진행으로 엄지손가락의 관절을 충분히 활용한다.

[561] 프리스카의 흥분상태를 Molto allargando로 억제한 후, 느린 부분 라산을 회고하기 시작한다. 앞머리보다도 음이 훨씬 두터움을 더해온다. *fff*는 그런 의미에서 속도도 얼마간 늦춰지는 느낌이 되고, 양손에 중첩된 피규레이션으로 음향효과를 충분히 낼 것이 요구된다. 음가는 64분 음표이나 빠르지는 않다.

[570]~[572] 왼손에 이어지는 겹음과 화음은 오른손의 중복된 도약을 뒷받침하며 8분 음표 박절로 신중하게.

[575]~[581] 왼손의 셋잇단겹음을 인상 깊게, 사라짐을 아쉬워하듯 섬세하게.

[582] molto quieto '매우 온화하게' 4분 음표 박절마다 각 박의 첫 음을 얼마간 테누토 느낌으로.

[588]~[592] 앞머리 모티브가 회고되는 ◆형 음표를 두드러지게 할 것. 이 256분 음표는 매우 드물다(참고로, 실음 128분 음표의 음악사상 최초의 예는 베토벤의《고별소나타》제2악장에 있다. 이 실음 256분 음표의 사용은 이 곡이 음악사상 최초일 것이다).

치크 지방의 3개의 민요

(1907)

이 3개의 소품은 해설에 있듯이 당초 피리와 피아노를 위한 작품으로 했다가 나중에 피아노 독주곡이 되었다. 원래는 양치기가 피리로 불던 곡이어서 즉흥적인 요소가 많은 장식이 암시되어 있어(장식법이 경과음, 트릴, 아치아카투라(acciaccatura(伊)) 피아노로 표현하기에는 쉽지 않다. 피아노곡으로서 비교적 쉬운 것은 〈템포주스토〉적인 제3곡. 선율이 어렵지 않은 데다 반주화음에 맞추기 쉽기 때문이다. 처음 두 곡은 장식법에 숙지해 있지 않으면 매우 어려울지도 모른다.

약간 즉흥적인 요소에 좌우되고 있다 해도 바르토크 통례의 악곡연주 원칙(기보 그대로의 리듬)을 지켜야만 하며, 연습 때 메트로놈 병용으로 왼손 화음의 울림을 충분히 듣는 것이 중요하다. 화음에서 선율이 상기되도록 할 것. 나아가 왼손 화음의 구성을 이해했으면 음가가 16분 음표 이하의 마디를 파악할 것. 혹은 트릴을 적게, 경과음을 생략하여 기본적인 선율의 이해를 꾀할 것.

에디티오 무지카 부다페스트에서 출판된 바르토크 민속 음악 채집의 카탈로그에 의한 원곡(1907년 치크 지방에서 채보)을 악보 예로 든다. 음악을 이해하는 데 매우 유익하다(여기서는 G단조로 기보되어 있다).

제1곡

도리아조. 주음 이외의 음에서 시작되어 주음으로 끝난다. 하행 지향으로 시작된 선율이 낭송조로 높게 노래 부른다. 의적 로자 산도르가 관헌에게 잡히지 않기를 기원하는 가사가 붙어 있다.

파를란도(카탈로그 번호 277)

제2곡

에올리아조. 상행하는 음계로 시작, 최고음에서 길어져 완만하게 하행한다. 연인이 부모의 반대를 한탄하는 노래.

파를란도(카탈로그 번호 1)

제3곡

에올리아조. 징병명령이 발포된 10월 1일에 병역에 임하러 가는 소년들이 부르는 고향과의 이별. 용감하게 시작하나 후반은 '한탄' 으로 울린다.

템포 지우스토(카탈로그 번호 60)

14개의 바가텔

(1908)

제1곡

피아노곡의 악보에서는 일반적으로 볼 수 없는 기보법이다. 즉, 오른손에는 샤프기호가 4개, E장조로 되어 있고 왼손에는 플랫기호가 4개, C음 상의 프리지아 선법에 의한 오스티나토 음계형을 전개하고 있다. 얼핏 보면 복잡해 보이나, 건반에 손을 둔 모양 면에서는 합리적으로 되어 있다. 《미크로코스모스》에서 계통적으로 나타나는 이러한 복조적인 기보법은 《14개의 바가텔》이 발표된 시점에서는 아마 큰 반향을 불러일으켰을 것이라고 상상된다.

운지법은 많이 고려할 필요가 있을 것이다. 항상 합리적으로 손가락을 두어야 하는 것은 말할 필요도 없다. 따라서, 투영법(投影法) · 반진행(contrary motion), 대(對)진행의 경우, 자연히 엄지손가락과 새끼손가락이 정반대 방향이 된다(엄지손가락이 건반의 중앙에 자리 잡고 있으면, 새끼손가락은 건반의 양끝 방향으로 확산되어간다). 이 제1곡에서는 오른손 온음표에 엄지손가락을 두고 윗성부 진행의 중심이 되도록 한다. 왼손 8분 음표의 하행음계는 표정 풍부한 포르타토적인 터치가 요구될 것이다.

[3] 의 (*pp*), [17] 의 (*ppp*)는 음량적으로 가장 약한 음을 지시하고 있어 조용하게 프레이즈를 마무리한다.

마지막 마디([18])는 운지법에 주의할 필요가 있다. 오른손 엄지손가락으로 온음표를 유지하고, 왼손 하행음계의 8분 음표를 오른손 5-4-3-2로 연주하면서, 마지막 2분 음표를 왼손의 엄지손가락으로 쳐서 끝낸다.

제2곡

연타음의 2도 겹음은 둘째손가락과 셋째손가락을 건반 위에 세워 음을 균등하게 연주해낼 필요가 있다. 왼손의 모티브에는 가볍고 날카로운 리듬이 요구된다(둘째손가락과 새끼손가락에 탄력을 갖게 하는 것이 매우 중요하다). 손목은 고정시키고 민첩하게 팔꿈치를 올리는 요령으로 하면 손끝의 신경이 민감해질 것이다. [3] ~ [7] 의 왼손 운지법은 고정된 날카로운 느낌의 스타카토 연주를 고려한 것이다.

제3곡

드뷔시의 《불꽃놀이》를 연상시킬지도 모르겠다. 오른손의 다섯잇단음표는 엄지손가락을 중심으로 손바닥의 관절을 띄우는 듯이 매끄럽게 회전시키는 것이 좋다. 엄지손가락에 의도하지 않은 악센트가 붙지 않도록 주의할 필요가 있다. 왼손의 선율은 오른손의 피규레이션에 비해 늦어지지 않도록 할 것.

제4곡

헝가리 민요를 편곡한 것으로 각 악구에 주어진 화성은 에올리아선법에 의한 화음에 보조음을 부가한 7화음으로 구성되어 있다. 선율의 흐름을 우선 단음으로(매끄러운 레가토로) 노래하면서 파악할 것. 변화해가는 화성붙임을 이해하기 위해서는 먼저 연습할 때 선율선의 방향에 주목한다. 그럼으로써 바르토크가 화성을 붙인 의미와 방법을 이해할 수 있다(이른바 '투영법', '반진행'이 명료하게 기보되어 있다). 특히 공5도 겹음의 울림을 들어 이해할 것.

또한 스케치 (Nr. 488)에는 2마디마다 16분 쉼표 기호가 기입되어 위에는 longa라고 쓰여 있다. 또 다시 정리한 원고(RK 338)의 [5] ~ [8] 에 반복기호가 기입되어 있다. 페르마타의 '호흡'은 교회의 찬미가를 부르는 요령으로 약간 간격을 두면 바르토크가 자필악보 (Nr. 488)에서 지정한 16분 쉼표가 살아난다.

제5곡

슬로바키아 민요를 편곡한 것으로 도리아 선법이며, 오스티나토는 부가화음 또는 전회한 7화음이 끊임없이 계속된다. 연타되는 화음과 겹음의 주법은 고정된 손끝, 특히 둘째손가락의 확실한 터치가 필요하다. 왼손의 민요에 맞춰 오른손 반주 화음에서 둘째손가락만 따로 떼어 연습할 것.

[21] ~ [27] 연속화음은 양손으로 교대하는 것이 좋다. 그러면 기본적인 리듬이 싱커페이션으로 진행하는 것을 알 수 있게 될 것이다. 이 기본적인 리듬이 종결부 [79] ~ [85] 마디의 어려운 기교를 용이하게 해줄 것이다.

중간부 [46] ~ [48] 은 매끄럽고 아름다운 상행 진행이므로 양손으로 나누어 치는 것이 좋다. 당연히 바르토크가 기보한 한 손만으로 연주할 수 있으면 더할 나위 없으나 그렇게 하기는 어렵다. 게다가 뒤이은 [56], [60], [70] 의 왼손 셋잇단음표가 영향을 끼쳐 오른손 화음연타의 리듬이 깨지지 않도록 주의할 것.

[79] ~ [84] 의 연습방법(2마디 단위)

제6곡

이 곡이야말로 〈절대음악〉이라고 부를 만한 전형적인 악곡. 최소한도의 작은 3부 형식이다(훗날 《조곡》의 제4악장, 《피아노 소나타》의 제2악장에 이어지는 절대 음악의 상징성을 표현하고 있다).

선율의 움직임은 화가의 그림붓처럼 매끄럽고 첫 부분은 공5도 겹음, 중간부는 3도 겹음이 분위기를 결정하는데, 오른손의 겹음은 과녁을 쏴 맞추는 울림을 들려준다. *poco espress.*는 그런 의미에서 매우 중요하다.

운지법은 손목의 유연성을 고려했다.

제7곡

왼손은 검은 건반에, 오른손은 흰 건반에 놓여 제1곡과 같이 복조적인 요소를 지니고 있다.

아고긱(속도의 완급)이 꽤 어렵다(*rit.*와 *acc.*의 엄수). 또 역아르페지오도 음의 균등성을 유지하기가 까다롭다. 여기에는 기본적인 연습법이 필수적이다(예를 들면, 〈체르니교본 40번〉의 제19번). 여하튼 오른손의 둘째손가락과 엄지손가락이 흐트러지지 않고 매끄럽게 연결됨으로써 기본리듬이 정확해진다.

역아르페지오는 바르토크 작품을 연주하는 데 매우 중요하다. 종결부를 바르토크의 기보대로는 가볍게 연주할 수 없다고 느꼈다면 양손으로 나누어 연주하는 드뷔시풍의 운지법을 추천한다.

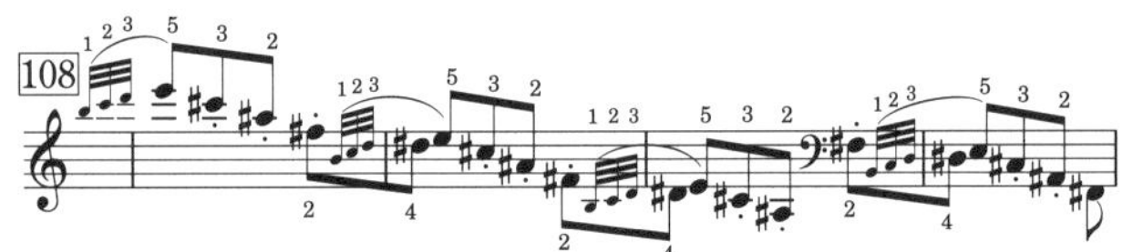

단, 위의 악보 예와 같이 하나의 오선보에 기보된 듯이 들리지 않으면 안 된다. 즉, 기보되어 있는 것처럼 이 모티브가 번갈아(2성부로) 들리지 않으면 안 된다.

제8곡

이 기보법에는 놀랄 것이다. 아포지아투라(앞꾸밈음)의 다양한 가능성을 추구한 결과이다. 자필 악보에는 아포지아투라를 좌우로 바꾼 곳도 보인다. 이 곡에서 중요한 것은 왼손의 장식음표가 앞서 나오면서 반음계적인 선율의 흐름이 자아내는 음의 울림을 감상하는 데 있다. 게다가 레가토로 진행하는 운지법을 어떻게 선택하느냐에 따라 좋은 연주인지 아닌지가 좌우된다.

또 이 참신한 구성은 현악 4중주곡 같은 깊은 감흥을 불러일으키는 것이다. 붙임줄로 연결된 음을 울려 충분히 들을 것. 때로는 이 늘려진 음의 여운이 이어지는 선율과 겹음의 의미, 음의 중첩상태와 일종의 얽힘을 푸는 역할을 해내게 된다.

제9곡

여기서도 〈체르니교본 40번〉의 제19번을 주의 깊게 연습했는지 여부가 이 곡의 효과를 좌우한다(첫 음의 악센트를 정확히 연주하기 위한 기본 연습).

19 ~ 8음 음계 진행을 양손 엄지손가락만으로 습득할 것(2종류의 8음계가 존재한다).

58 ~ 트릴은 양손을 맞추기 위해 음의 수를 적게 하여 유니즌으로서 명확히 음을 낼 것. 리스트 《피아노 협주곡》의 제3악장, 트라이앵글과 합주하는 경쾌한 트릴과 피규레이션을 떠올리게 될 것이다.

제10곡

10 ~ 13 양손 각각의 윗성부가 3도 겹음, 아랫성부도 3도 겹음으로, 각각이 아름답게 울려 퍼진다. 이 부분의 연속화음을 풀면 장3도, 장10도 평행, 장2도 평행이 같이 있음을 알 수 있다. 그것을 따로따로 나눠 들을 수 있도록.

32, 35 악보의 예는 별개의 움직임을 하는 공통점(반음 음계와 온음 음정의 연결 6도와 장6도의 울림)

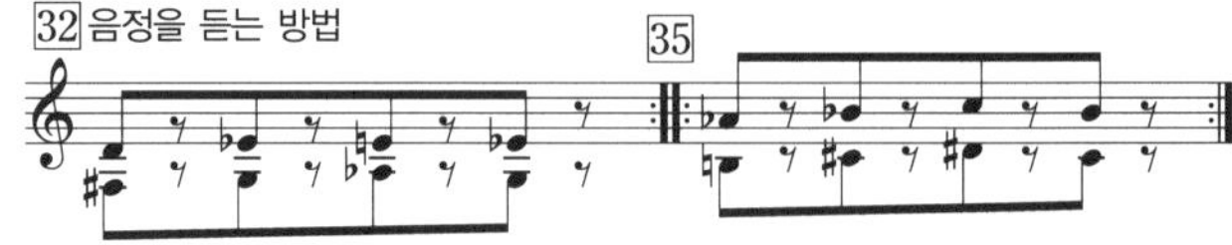

45 ~ 50 은 왼손이 명확한 하행진행을 그리고 있는 것은 자각된다. 하지만 오른손의 상행진행이 4옥타브에 이르고 있는 것은 의외로 깨닫지 못한다(악보 예=46 이하의 오른손 진행을 따라가면 이처럼 들린다).

상상력이 풍부한 사람은 이 곡에서 무소륵스키 《전람회의 그림》의 〈바바야가〉를 연상할 수 있을 것이다.

제11곡

평행4도 화음, 평행7도 겹음 등이 변덕스런 곡상을 표현하기 위해 고안되어 있다. 연타 화음의 연주는 어렵다. 흰 건반만의 화음에서는 고정시킨 손끝과 '문을 여닫는 경첩' 같은 동작을 시키는 손목으로 해결할 수 있다. 그때 검은 건반의 화음으로 균형이 깨지지만 그것을 역으로 이용하여 팔꿈치를 약간 바깥쪽으로 벌리면 쉽게 칠 수 있다.

세로줄 위에 있는 16분 쉼표는 호흡의 의미와 주저하는 기분을 나타내고 있다. 거기에 주목하면 쉼표에서 손을 한순간 기다리게 한 뒤, 다음에 오는 2분 음표를 양손으로 타건함으로써 화음의 울림이 안정되게 하는 것도 고려할 수 있게 된다. 또는 다음의 기본적인 연습방법도 박절과 호흡이 다름을 이해하는 데 도움이 된다([1] 에서 화음진행의 기본연습. 호흡(𝄿)의 습득).

먼저, 흰 건반 화음으로 손의 위치를 정해 ♮의 B음에서 ♭의 B♭음으로 바꾸는 극히 짧은 시간의 어긋남이 바로 이 16분 쉼표다. 드뷔시의 작품에서도 볼 수 있는 세로줄 위에 있는 쉼표를 습득할 때의 방법이다.

[14] ~ [15], [65] ~ [66] 의 어려운 연속 화음은 왼쪽 엄지손가락으로 오른손 화음의 아래를 연주하게 함으로써 편해지고, *molto accel.*의 효과도 터득할 수 있을 것이다.

[30] ~ [33] 의 순차진행도 쉽지 않다. 8분 쉼표를 피규레이션의 경계로 하면 제2박의 왼손 화음이 오른손 손목을 들어올리는 데 도움을 주어, 이어지는 [34] 이후 아티큘레이션의 표현도 명확해지고, [55] ~ [60] 의 아티큘레이션과 아르페지오의 어려움도 운지법을 〈5-5〉로 계속 선택하면 처리할 수 있을 것이다.

제12곡

이 곡의 어려움은 아고긱(속도의 변화)에 있다.

바르토크가 지시하고 있는 속도의 변화는 다음의 악보 예에서 구체적으로 이해할 수 있을 것이다.([1])

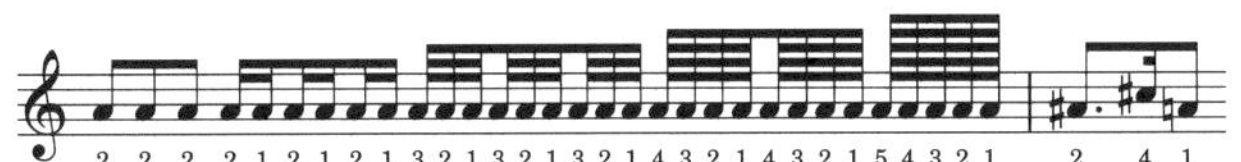

처음에는 이 명확한 방법으로 순차적으로 속도가 빨라지는 요령을 습득해야 한다. 기보법 자체가 고전파 · 낭만파에서 드뷔시, 라벨 등의 근대 음악을 거쳐, 20세기 후반 현대 음악의 그래픽한 악보로 변천해온 것을 이해할 수 있을 것이다. 게재한 악보 예의 음표기둥과 운지법은 이해의 기준으로 교정자가 고안해낸 것이다(느리게 시작하는 곳은 둘째손가락으로, 점점 속도가 빨라짐에 따라 2-2-2-2=2-1-2-1=3-2-1-3-2-1=4-3-2-1-4-3-2-1=5-4-3-2-1로 하면 좋다).

이 음악을 '트윈발론'과 '덜시머'를 모방한 것으로 해석할 수도 있다. 이 연타주법은 해머로 번갈아 현을 쳐서 소리 내는 표현이다. 이 악기들은 민속 음악과 밀접한 관계를 갖는다. 특히 즉흥적인 요소가 요구된다(이 곡의 악상 · 속도 설정은 다분히 로마인 악사의 즉흥적인 감흥으로 인한 펠트 해머로 현을 미끄러지듯 긋는 글리산도 주법이 특징적이다).

바르토크는 속도설정의 메트로놈 수치와 음표를 몇 번인가 고쳐 썼다. Rubato 지시로 나아지기는 하나 약간 모순된다. 삽입구적인 연타 악구와 글리산도 악구에 서정적인 선율이 시칠리아풍 리듬 '점8분 음표+16분 음표+8분 음표'로 나타난다. [23] ~ [25] 에서는 리듬이 복잡하게 되어 있다. 기본이 싱커페이션인 것에 주의하면 바르토크가 기입한 ⟹ 기호의 의미도 알 수 있을 것이다(여기서는 제3페달을 사용할 것). 기교적인 연타주법과 서정적인 선율의 교묘한 교체가 이 곡의 포인트다.

제13곡

[2] ~ [3] 슈테피 모티브의 해석

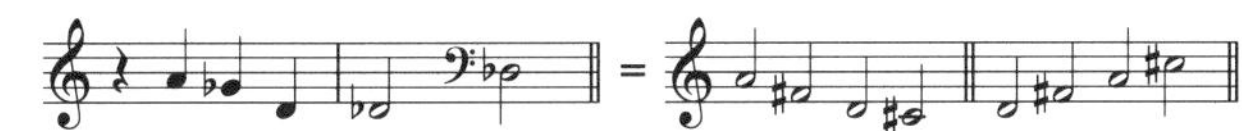

제14곡

왈츠라고는 하지만 꽤 괴로운 악상이다. 이러한 왜곡은 베를리오즈《환상교향곡》의 변형되는 고정악상(제5악장)을 상기시키는데, 이 곡에도 격렬한 감정이 그대로 드러나 있다. 이 곡집의 최후를 장식한다는 의미에서인지 상당한 연주기교를 발휘하게 한다.

[17] 에서 완전히 다른 박자가 삽입된다. 바르토크 최초의 착상과 슈테피 모티브의 관계.

[67] ~ [78]

왼손 반주 내성부의 꿈틀거림의 해석 악보.

151 ~ 170　피아니스틱한 연주기교가 전개된다. 운지법(4212)은 셋잇단음표와의 구별, 건반 위에서 엄지손가락을 안쪽으로 향하기 쉽게 하는 손목의 회전 그리고 명확한 제3박을 고려한 것.

171 ~ 178　고음부의 울려퍼지는 연타음. 176 에서 교정자가 고려한 운지법에 주목.

179 ~ 194　효과적으로 슈테피 모티브가 트릴로 엮여, 왈츠 리듬의 베이스가 장3도와 단2도(반음정)를 섞어가며 순차 하행 진행하는 것이 흥미롭다(악보 예는 트릴 주법의 실제).

210　32분 음표 아르페지오의 박자가 의외로 어렵다. 슈테피 모티브 화음이 4개 있다고 생각할 것이 아니라, 네 번째는 211 에 들어가는 장식음표적인 여린박으로서 *fff marcatissimo*를 들려주면 좋다. 연타음의 운지법은 〈1+2〉를 권한다.

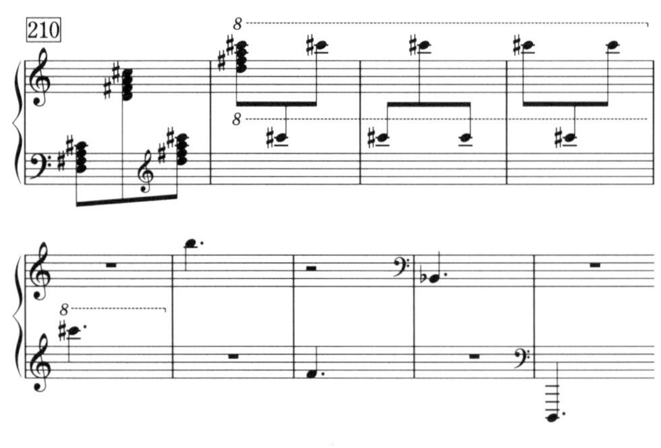

18 ~ 36　하행화음이 증3화음과 장3화음이고, 전체 음역의 폭이 넓어지나 왼손 넓은 음역의 화음을 아르페지오하지 않고 저음을 박절에 맞춘 꾸밈음으로서 먼저 치는 것이 좋다.

이 곡의 화음적인 구성은 흥미롭다. 같은 선율진행에 대해 4그룹의 주화음으로 화성이 붙여져 있다. D장조 화음=G♯단조 화음, B장조 화음=C장조 화음, F♯장조 화음=E장조 화음, D장조 화음=G장조 화음이라는 종지형의 방식을 보이고 있다.

7개의 스케치

(1908-10)

제1곡 한 소녀의 초상

전체의 분위기는 성악과 피아노 반주, 슈베르트와 슈만의 가곡을 떠올리게 한다. 즉 선율과 반주화음의 진행과 밸런스가 짧으면서도 발라드적인 악곡으로 되어 있다. 앞머리에 *p semplice*를 지시, 손끝의 섬세한 감촉으로 주제를 연주하는 것이 요구된다.

제2곡 시소놀이

장3도와 단3도의 음정이 자아내는 울림이 아름다우나 불가사의한 분위기를 불러일으킨다. 이것은 협화하는 겹음으로 일종의 복조로 생각할 수도 있다. 게다가 불협화음이 돌연 울리기 시작하고, 종결부는 유니즌인 까닭에 타이틀의 분위기를 음화(音畵, tonmalerei)적으로 암시하고 있다.

연속하는 겹음으로 간단한 레가토를 표출하는 것이 어려울 것이다. 운지법에 대한 궁리가 필요하다. D♭-E의 겹음은 오른손 새끼손가락과 네번째 손가락으로 치는 것이 좋다.

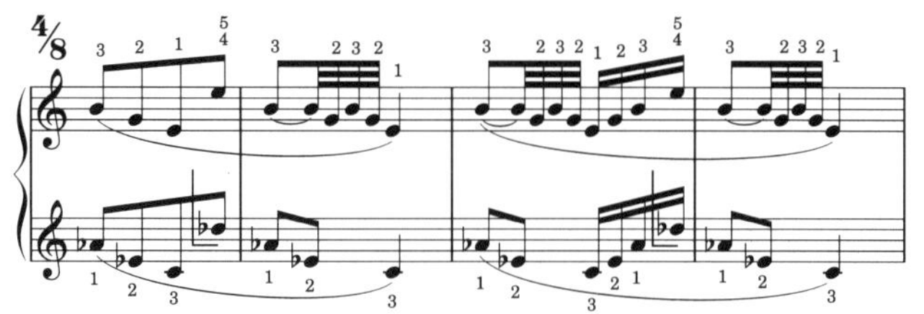

제3곡

손이 작으면 10도에 걸친 화음이 난제가 된다. 그러나 오른손의 프레이즈가 늦게 시작되므로 오른손의 엄지손가락으로 왼손의 윗성부를 칠 수 있다. 왼손의 화음을 절대로 아르페지오로 펼치지 말 것. 즉, 명확한 슈테피 모티브에 꿈틀대는 장10도의 평행이 요동하는 울림을 대조시키기 위해서도 장10도는 동시에 울리도록 하지 않으면 안 된다.

제4곡

앞머리에 〈슈테피 모티브〉와 닮은 모티브가 나타나지만, 제3음이 빠져 복잡한 느낌이다. 이 곡의 넓은 음역에 걸친 아르페지오, 트릴, 모르덴트는 《랩소디》와 《2개의 엘레지》의 연주기교의 요약이라고도 할 수 있을 것이다.

더구나 바르토크가 미국에 망명한 후(1945년) 덧붙인 것은 37 ~ 38 , 39 ~ 40 내성부의 화음 연장이었다(이 변경은 중요한 의미를 지닌다고 생각된다).

9 ~ 11　트릴주법은 명확히 해야 하며 바르토크의 이음줄에 따르면 32분 음표의 꾸밈음이 트릴을 양옆에서 끼고 있

는 듯이 되어 있으므로 그룹 묶는 것을 의식할 것(고음부에서 프레이즈가 시작된다). 양손의 위치가 빈번히 변한다. 양 엄지손가락을 중심으로 양 팔꿈치를 약간 벌리도록.

34 ~ 36 32분 음표를 신중하게(레가토).

41 ~ 46 옥타브 유니즌과 화음의 대조에 유의할 것. 즉, 화음을 치는 것으로 옥타브 유니즌의 흐름이 끊기지 않도록(쉼표 기호에 주목).

제5곡 루마니아 민요

선율은 〈A-B-D♯-E-F♯〉의 5음 음계로 구성되어 있으며, 민요의 독특한 하행 지향이 현저하다. 세로줄 위의 쉼표는 호흡을 의미한다(약간 숨을 쉬도록 의식할 것).

앞머리의 *f sonoro*, *cantabile*에서 종결부의 *calando dolce pp*의 의미는 강하게 노래 불러 호소하는 모습이 점점 멀리 사라져가도록. 선율에 붙인 반주화음을 약하게.

제6곡 발라키아풍으로

민요에 독특한 리듬을 잡는 방법으로는 명확한 아티큘레이션을 요구하는 것이다. 스타카토에 악센트는 붙어 있지 않지만 뒤이은 음이 약간 늦는 느낌으로 나오면 좋다. 그렇게 하면 써있지 않은 콤마(숨표)가 들릴 것이며 리듬의 흔들림이 중요하다. 4마디마다 나타나는 32분 음표는 처음 음만 들리고 재빠르게 사라지도록.

제7곡

훗날 《미크로코스모스》의 편린이 엿보인다. 바르토크가 좋아한 카논 수법이다. 도치법, 반진행을 악보 예와 같이 시도해보면 좋다. 그에 따라 남겨져야 하는 음의 울림이 무엇인지 알 수 있고 운지법을 확실히 설정할 수 있다.

16 ~ 22 매우 복잡하게 느껴지나 화음으로만 되어있는 마지막 마디 23 을 충분히 이해할 것. 이 화음이 계속 울리며 옥타브 선율이 순차적으로 상승해가는 것이 들려오면 좋다.

화음이 펼쳐진 형태의 32분 음표는 옥타브 선율과 나뉘어 들리도록. 옥타브 마지막 음을 오른손에 맡기고, 32분 음표를 거의 알 수 없을 정도로 늦춰 나오게 하면 두 개의 울림이 분리되어 들릴 것이다. 이것은 일종의 트릭이라 해도 좋다.

이 화음은 온음 음계의 5음 부분이, 즉 2종류밖에 존재하지 않는 온음 음계에서 오른손 왼손이 각각 다른 종류의 온음 음계를 분담해 동시에 겹쳐 울리도록 하고 있다.

3개의 부르레스크

(1908-11)

제1곡 다툼

속도표기＝초안에는 Prestissimo로 적혀 있었다. 훗날 〈3개의 연습곡〉 제1곡(유니즌으로 매진)을 떠올리게 하는 곡상. 손가락을 상당히 크게 벌려 떼는 것이 요구된다.

10, 12, 14 ~ 21, 23, 25 유니즌을 양손으로 쳐가는 경우, 각 마디의 첫 음, 상행하는 음형의 첫 음은 왼손으로 옥타브를 잡을 필요가 있을 것이다. 곡의 유창함을 잃지 않을 것.

34 ~ 38 은 2마디 단위, 39 ~ 50 은 3마디 단위라고 생각하여 박절을 명확하게 유지할 것.

39 ~ 도약화음을 치는 방법.

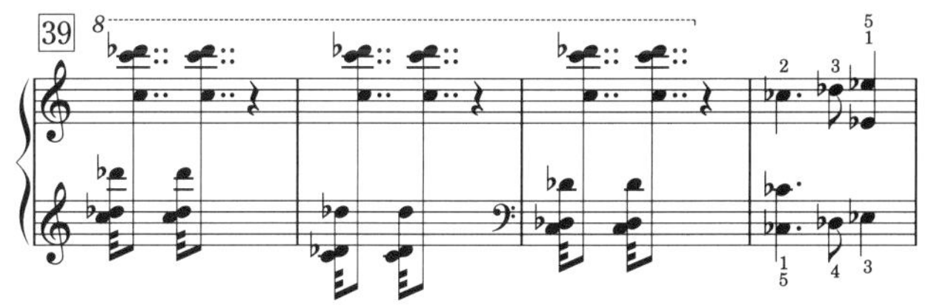

45 ~ 47, 152 ~ 162 꾸밈음과 화음은 아치아카투라로 거의 동시에 울리도록 고려하여 꾸밈음과 화음의 어긋난 상태를 양손 엄지손가락의 상호대립(서로 부딪침)으로 표출한다.

60 ~ 71 의 왼손 겹음의 꾸밈음은 재빠르게 거의 4개의 음이 동시에 울려도 좋다. *espress. molto*의 표현은 양손 모두 안쪽 엄지손가락으로 옛날 인쇄판을 문질러 찍어내듯이.

73 ~ 87 을 경쾌한 리듬으로 연주하기 위해서는 양손 엄지손가락을 명확히 합주하도록. 60 ~ 71 과는 반대로, 음색은 양손 모두 바깥쪽 새끼손가락으로 건반을 확실하게 울리게 하면 좋다.

88 ~ 99 성가신 넷잇단음표의 연습방법은 짝수 마디＝왼손, 홀수 마디＝오른손 엄지손가락만으로 진행시키고, 이 악

상용어 *quasi a tempo (meno vivo) mf molto espr.*를 충분히 고려하여 완만한 속도와 표정, 풍부한 레가토 진행으로 양 팔꿈치를 벌리고 손가락과 손목 전체가 중심으로 향하도록.

152 ~ 155 와 160 ~ 162 악보대로 손가락이 벌려지지 않는 경우, 교대로 양손 화음을 쳐 나가면 트릭 같은 효과를 준다. 뒤이은 156 ~ 159 와 163 ~ 164 의 점4분 음표는 정확한 리듬이 요구된다.

175 ~ 180 양손 엄지손가락을 교대로 연타 하도록. 정확한 템포로 빨라지지 않도록.

제2곡 거나한 기분

바르토크의 기보법은 자신이 공들인 이론에 기초를 두고 있기는 하지만 실음으로 기보된 주요화음과 꾸밈음으로 기보된 보조화음을 임시기호로서 구별하고 있어서 때로는 악보읽기가 곤란하고 필요 이상으로 학습자로 하여금 이해하기 어렵게 한다.

앞머리의, E단조 주요화음에 들어가는 보조화음을 A♭장조 주요화음의 제1전위 화음으로 하지 않고 E♭음 대신에 D♯음으로 한다거나, 다음의 B조 감3화음에 들어가기 위한 보조화음을 E♭장조 주요화음의 제1전위 화음으로 하지 않고 B♭음 대신에 A♯음으로 한다거나 해서 바르토크에 대한 편견을 조장하고도 있다. 물론 현대 음악을 치는 데 익숙한 사람에게는 그리 곤란하지 않을 것이다. 바흐의《평균율 클라비어곡집》과 알베니스의《이베리아》에서 C♯장조를 D♭장조로 바꿔 쓰는 데 따른 음악적 폐해를 생각하면, 이 곡에서 보조화음을 읽기 어려운 것은 근본적으로는 큰 문제가 아니고 주요화음과 보조화음의 차이와 구별을 이해시키는 수단이라고 생각하는 것이 중요할 것이다. 그 증거로 〈알레그로 바르바로〉에서는 흰 건반만의 주선율에 올림 기호와 겹올림 기호를 많이 사용한 극단적인 예가 있다.

연습 때 양손 엄지손가락만으로 규칙적인 리듬으로 곡 전체의 진행을 터득할 것. 이 경우, 선율을 제하고 반주화음만으로 해도 좋다.

1) 우-좌-우-좌 및 좌-우-좌-우의 균등 교대의 연타음형.
2) 이 교대 연타를 부점음표 리듬으로 반복연습.
3) 하행 아르페지오 화음이 삽입되어 있는 마디에서는 다른 본래의 상행 아르페지오는 교대 연타의 화음만으로 쳐가고 하행 아르페지오만을 32분 음표로 하행시켜 하행감각을 터득한다.
4) 〈거나한 기분〉의 악상을 위해 선율만을 떼어내 2개의 손가락(셋째손가락과 둘째손가락)으로 친다.
5) 트릭연주로서 선율을 꾸밈음으로 취급하여 왼손 꾸밈음 화음에 맞춰, 가운데 주요화음에 들어가는 것을 생각해 본다(이것은 아주 효과가 있을 것이다).

악보 예는 중심축이 되는 화음과 꾸밈음의 화음(임시기호의 사용에 의한 구별) 간의 관계를 해석하는 연습방법.

오른손 새끼손가락이 독립된 음표기둥을 지니며 특징있는 아티큘레이션 효과는 음악표현의 수단이 된다. 오른쪽 팔꿈치의 이용, −기호에서는 팔꿈치를 들어올리듯이.

16 ~ 35 3종류의 기교가 어렵다(① 긴 지속음의 울림 ② ruvido[거칠거칠한]라고 지시된 장식음표가 붙은 짧은 음표 ③ *molto espr.*라고 지정된 고음역 겹음의 레가토). 각각을 양립시키는 기교에 더하여 도약하는 왼손, 손가락의 독립이 요구될 것이다.

18 , 21 , 24 손가락을 가능한 한 벌려 레가토로.

42 ~ 51 상행 · 하행 아르페지오로 리듬이 끌려가면 안 된다. 제3박의 왼손에 약간 악센트를 붙이면 각 마디의 리듬이 팽팽해진다. '적당히 취하면 제 정신을 잃지 않는다.'로 하행 아르페지오를 정확하게.

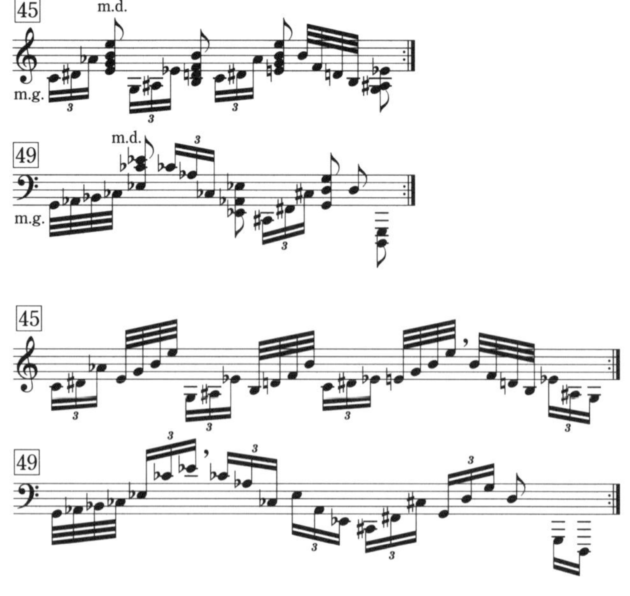

제3곡

악상용어(capriccioso)가 나타내는 바 대로, 단2도의 매운맛이 살아 콕 찌르는 듯한 울림이 특징(아포지아투라=날카롭게 찌르는 짧은 앞꾸밈음의 효과로 일종의 복조적인 음향이 생긴다). 단, 충돌하는 음정을 난폭하게 쳐서는 안 된다. 8분 음표, 또는 고음 쪽을 약간 울리도록 할 것, 16분 음표를 장식음표처럼 경쾌하게 연주하는 것이 요점. 게다가, 꾸밈음, 32분 음표로 기보된 음은 아주 재빠르게 요정이 뛰어오르는 것처럼 연주할 필요가 있다. 따라서 기보되어 있듯이 한 손으로 치기는 어려우므로 또 다른 한 손에 분담시켜야 할 것이다. 23 *leggierissimo*는 그런 의미에서 어렵다. 왜냐하면, 28 ~ 44 왼손의 16분 음표에, 본래는 오른손이 연주해야 하는 8분 음표를 왼손에 맡기면 윗성부의 긴 음표와 레가토 프레이즈를 나타낼 수 없기 때문이다.

62 ~ 83 기보되어 있는 왼손의 프레이즈가 너무 어려우면(특히 67 ~ 74 의 셋잇단음표 16분 음표와 8분 음표는 손가락 위치로 보아도 왼손은 어려우므로), 오른손에 맡기는 것이 좋다. 32분 음표는 왼손으로 치게 된다(참고로, 드뷔시의 《운동》에서 A. 베네데티 미켈란젤리는 오른손과 왼손을 바꿔 치고 있다).

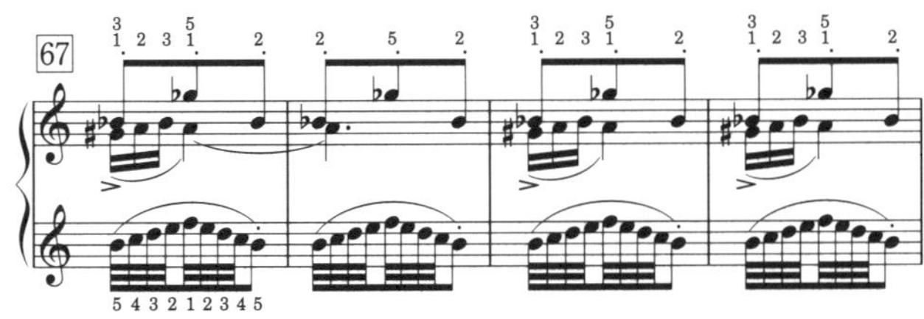

91 ~ 96 scherzando의 3도 겹음을 가볍게 연주하려면 제2박을 왼손으로 쳐야 하는데 그럼으로써 속도가 안정적이 되고 *sempre tranquillo*가 명료하게 표현될 수 있다. 리스트의 《난쟁이의 춤》과 공통된 기교이다.

175 ~ 193 다시금 양손을 바꾸는 것이 필요하다. 페르마타로 표정 풍부하게. 악보 예는 운지법과 음을 듣는 방법의 실제.

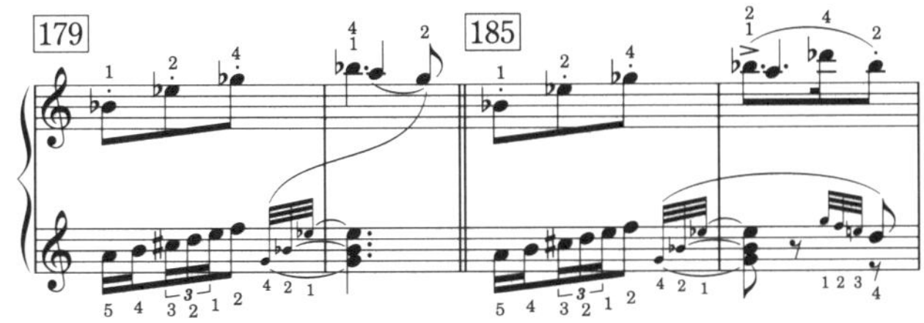

194 ~ 203 *a tempo p* 실제로 기보되어 있는 것보다도 경쾌한 약음 지향으로. 장조 · 단조의 중복된 울림으로 요정이 재주넘기를 하여 사라지는 것처럼.

무용 조곡

(1925)

《무용 조곡》이 원래 오케스트라를 위한 작품이라는 사실은 피아노로 연주하는 경우에도 중요하게 고려하지 않으면 안 된다. 그러나 악보에 기재된 음 전부를 치려고 하면, 10도가 닿는 손으로도 어쩔 수 없이 지저분한 음향이 되어버린다. 여기서는 연주기법상, 효과적인 고안과 연습의 힌트를 간결하게 제시하는 데 그치려 한다.

제1곡

리듬을 명확히 하기 위해, 다음 요령을 익힐 것.

한 그룹의 마디 안에 요점이 되는 리듬 마디가 있다. 예를 들면, 1 ~ 100 가운데에서는 다음 마디의 왼손이 중요하다(6 , 12 , 19 , 23 , 26 , 35 , 40 , 45 , 49 , 51 , 59 , 63 ~ 66 , 69 , 72 ~ 73 , 88 ~ 99). 확고한 무용 리듬 부분이어서, 여기의 리듬이 깨지면 춤음악이 되지 않는다.

먼저, 악곡 전체를 파악해야 하는데 다음 마디가 곡의 근간이 된다(악보 예 참조).

2 ~ 14 , 44 ~ 48 , 71 ~ 77 , 100 ~ 104 , 121 ~ 131 , 140 ~ 145 의 선율을 떼어내어 이해할 것.

연습 때 먼저 기재된 음 전부를 치려고 해서는 안 된다. 어느 음에 '의미'가 있는가를 생각해야만 한다. 완전 공5도의 울림이 무엇보다 중요(감6도는 울림으로서는 완전 공5도이다). 따라서 곡이 개시되면서부터 끊임없이 공5도가 울려 퍼지는데, 그 중에서도 중요한 곳과 그렇지 않은 곳으로 나뉜다. 그것은 왼손의 음을 듣고 있으면 이해할 수 있을 것이다. 그때 왼손부분을 반드시 양손으로 나눠 칠 것. 절대로 생략해서는 안 되는 음이 있는 것도 확실한데, 15 ~ 30 의 오른손은 구차하지만 왼손의 도움을 빌리지 않으면 안 된다. 아티큘레이션의 미묘한 표현 변화와 관련이 있기 때문이다. 따라서 이 부분을 연습할 때는 오른손의 움직임을 가로막는 왼손의 윗음을 생략하는 것만이 허용될 수 있다. 이것을 파악한 후 이 생략한 음을 오른손으로 연주한다.

36 ~ 41 넓은 음역의 트레몰로는 반드시 좁은 음역에서 음을 확인할 것.

45 에서 소스테누토 페달 사용이 불가결하며, 48 에서 소스테누토 페달을 재빠르게 바꿔 밟는 것을 이해할 수 있을 것이다(소스테누토 페달을 밟는 시간적인 여유를 고려할 것).

51 ~ Tranquillo poco accel.(quasi rubato) 다양한 악상용어가 나열되어 있지만, 어찌됐건 루바토를 의미하며 템포의 자유설정이 허락되어 있다. 하지만 어디까지나 양손 엄지손가락이 담당하는 싱커페이션에 중점이 두어진다는 것과 그것이 갖는 비중에 주목해야만 한다. 오른손의 싱커페이션이 우선하며 다음으로 왼손의 엄지손가락이 항상 약박을 치며(58 ~ 59, 61 ~ 62 의 연타음이 중요) 약박에 있는 광범위한 아르페지오는 경쾌하게 연주되지 않으면 안 된다. 우선은 양손 엄지손가락만으로 연습할 것.

100 ~ 103 아주 복잡하고 어렵다. ossia로 여유를 갖는 편이 좋고 거기서부터 생략의 요령이 얻어진다.

103 ~ 108, 119 ~ 145 여기서도 소스테누토 페달이 필요해진다.

제2곡

아주 빠른 곡을 치는 원칙으로서 리듬을 파악하는 것이 중요하다. 먼저, 그 근간으로서 다음 마디를 떼어내 이해할 것(악보 예 참조). 1 ~ 8, 48 ~ 55, 64 ~ 72, 93 ~ 99, 107 ~ 111 의 선율을 파악할 것(제3곡의 앞부분까지).

이상의 선율을 이해한 후, 앞부분의 마디그룹 1 ~ 26 에서 왼손의 강박리듬과 싱커페이션의 차이, 특히 경계를 명확히 할 것.

51 ~ 54 $\frac{5}{8}$박자로서 박절을 정확히 잡는 것이 어렵다. 화음 다음 페달을 첫 박에 둘 것. 하지만 오른손에 악센트가 붙어서는 안 된다.

56 ~ 59 오른손 엄지손가락을 미끄러지게 하는 기교가 중요.

67 ~ 68 마디 사이에 약간의 여유, *ff*와 *mf*의 격차를 명확히 할 필요가 있다(같은 식으로 70 ~ 71 등).

95, 97, 99, 103, 105 첫 박의 8분 쉼표를 중요하게(약간 긴 느낌으로 해도 좋다).

제3곡

경쾌한 연주가 요구된다. 오른손 제2박의 탄력과 왼손의 경쾌한 약박이 중요.

2 ~ 3 모티브가 모습을 바꾸지 않고 손끝터치의 변화로 양상을 바꾸어가므로, 그것에 유의할 것.

29 ~ 30, 33 ~ 34, 38 ~ 39 마르텔라토로.

46 왼손의 크레센도는 뒤이은 각 마디에도 요구된다. 왼손 새끼손가락에 약간 악센트를 붙여서. 연주요령은 8분 쉼표+8분 음표 공5도 옥타브화음으로 악보와는 달리 왼손 화음 앞에 쉼표가 있는 것처럼 다뤄, 우-좌-우-좌-우-좌의 교대연타로 생각하면 좋다.

72 ~ 75 트릴을 충분히 울려 글리산도를 끝의 32분 음표와 조심스레 맞출 것.

77 ~ 82 아주 손가락이 크지 않으면 연주 곤란. 궁여지책으로서 중성부를 생략하는 방법밖에 없다(그 근거는 106 ~ 107 에 보이는 작게 기보된 8분 음표).

84 ~ 91 왼손의 기보법은 앞부분의 약박 리듬과 같은 의미. 새끼손가락에 약간 악센트를 붙여서.

94 ~ 109 왼손의 도약과 리듬을 중요하게. 여기서 악곡을 이끄는 것은 왼손으로, 중성부를 침착하게.

146 ~ 147 Lento 트레몰로는 32분 음표를 정확하게(즉, 앞의 16분 음표와 마찬가지 박자로).

제4곡

하모니를 관장하는 마디와 유니즌 선율의 마디 간의 대비를 명확히 두드러지게(다이내믹의 지시도 그 대조를 요구하고 있다).

박절의 변화는 $\frac{2}{8}$에 해당하는 부분을 주의 깊게 하면(단 늘어지지 않을 것), 전체의 균형이 잡힐 것이다.

30 제4박에서 소스테누토 페달을 밟으면 리듬과 음향에 좋은 결과가 얻어진다.

36 첫 박의 16분 쉼표는 소스테누토 페달을 바꿔 밟는다는 의미.

제5곡

4분 음표 안에 8분 음표가 나뉘어 들어가도록(〈quasi pizzicato〉는 그 의미).

18 ~ 19 옥타브 유니즌을 반복연습하면 곡 전체의 박절감과 리듬감이 얻어질 것.

24 ~ 26 왼손 베이스를 충분히 듣고 오른손 새끼손가락을 명확하게. 양손 엄지손가락 관절을 들어올려서.

피날레

리듬감각은 앞 곡과 같다. 시작되는 카논의 음역, 완전4도 상승을 듣도록. 앞 곡과는 달리 양손 엄지손가락이 스치며 양손 새끼손가락 관절과 양 팔꿈치를 들어올려 곡 전체를 진행시킨다.

9 ~ 10 ben marc. il tema 옥타브 주제를 명확히 하는 것이 요구되지만, 반주화음이 늦어지기 쉬우므로 8분 쉼표를 약간 짧은 느낌으로 하면 좋을 것이다. 정확한 리듬을 연주하지 않는 것으로 늘어지는 것을 막는다(18 ~ 28 에 | 기호가 있는 것은 음표가 짧아지는 것을 막는 의미였다고 할 수 있다).

36 ~ 42 ossia로 연주하는 편이 음향적으로 아름답고 명료하게 울려퍼질 것이다(52 ~ 54 도 ossia 쪽이 피아니스틱하므로 이것을 권한다).

74 ~ 93 정확한 리듬으로 진행하는 데는 ossia로 하는 편이 좋다. 왼손의 후반 셋잇단음표를 신중하게.

110 ~ 111 상행음계는 지시된 *p*보다도 *mp*로 시작하여 조심스레 디미누엔도하는 것이 좋다.

118 ~ 119 rubato는 전후관계에서 명확한 아티큘레이션 표출을 위해 *mp*로 연주할 것.

128 ~ 143 음악 진행의 주도권은 (*arpegg.*)라고 지시된 왼손 화음에 있다(세 번째 손가락의 활용을 고려).

144 ~ 163 중성부의 유니즌을 *ff*로, 바깥쪽의 화음을 시원스럽게 *mf*~*f*의 균형을 잡을 것.

164 ~ 172 민속무곡 특유의 백파이프인 두다(백파이프 이름)가 울려퍼진다. 단, 너무 강하지 않도록.

188 ~ 190 기본적으로 5박자이지만 왼손 베이스음이 박절을 깨지 않도록 주의(잠재적인 상행음형이다).

197 마지막 마디는 〈좌-우〉 다이내믹 밸런스를 고려하면 아름답게 울린다.

9개의 피아노소품

(1926)

다음 4곡(4개의 대화)은 대위법이 과제로 되어 있다.

제1곡

옥타브 카논으로 시작하여 카논의 모방 음정은 6도, 5도, 3도가 되고, 모방 거리는 2박, 1박, 반박으로 축소되어감으로 그 변화에 유의할 것.

제2곡

모티브가 부분적으로 늘려져 화성적인 구성에도 연결된다. 이탈리아 전(前)바로크시대 양식을 감지할 수 있을 것이다(당시 바르토크는 마르첼로 작품의 편곡을 시도하고 있었다).

제3곡

반음계적으로 소용돌이치는 주제의 푸가적인 요소를 지니며 훗날의 《현악 4중주곡 제4번》과 《현악기와 타악기와 첼레스타를 위한 음악》의 푸가의 징조를 생각하게 한다. 반행형(反行形)적, 반진행의 특징이 있다.

제4곡

매우 속도가 빨라서 대위법이라기보다는 무궁동(無窮動)처럼 들린다. 좌우 교대로 나타나는 강한 악센트를 정확하게.

제5곡 미뉴에트

연타음의 꽤 긴 서주와 종결부 사이에 A조의 선율이, 거기에는 민요에서 승화된 노래가 전개된다. 강조된 연타음이 현대음악의 특질, 메마른 분위기를 자아낸다.

제6곡 노래

바르토크가 좋아하는 연타음에 실려 전주적인 음의 점묘가 2성으로 시작된다. 민요풍의 선율, 창작민요, 둘이 노래되며 대위법적인 수법으로 주고받아진다. 후반부터 연타반주에 실려 《어린이를 위하여》와 같은 성격의 곡상(曲想)이 전개된다. 종결부는 《미크로코스모스》에도 존재하는 시원스런 싱커페이션과 아첼레란도로 끝난다.

제7곡 야수의 행진

처음부터 끝까지, 짝수박자가 이어지지만 음의 늘어선 방식이 홀수적인 음표기둥을 형성하여 싱커페이션이 내장되어 있는 것에 유의할 것. 임시기호로 충돌하는 음이 생겨나나(게다가 동시에 울리는 것이 아니고 서로 전후할 뿐으로) 울림의 충돌보다도 동작의 흔들림이 효과적. 여기에 주목하면 짝수박자의 중요성, 어디까지나 $\frac{4}{4}$박자에서의 강박을 정확하게 유지하지 않으면 안 되게 된다.

당돌한 느낌으로 평온한 곡상이 나타나는데([13] ~ [18], [31] ~ [36], [47] ~ [51]), 불균형적인 균형이라고 할 수 있는 대조를 잘 의식할 것(싱커페이션에 유의).

제8곡 탬버린

처음부터 끝까지 4분 음표로 엄정하게 나아갈 것. 다이내믹의 섬세한 변화는 타악기의 섬세한 리듬 주법을 나타내지만 결코 과장되지 않도록. 리듬 표현은 악보를 기록하는 면에서도 나타나 있다(음표의 가로대 모양에도 주의해야만 한다).

제9곡 서주(序奏) 헝가리 풍으로

[6] ~ 유니즌으로 주제가 제시되는데 이것은 《미크로코스모스》에서 자주 이용된 '모방과 전개'의 형태이다. 짧은 간주가 반복될 때마다 '전개와 모방'에 지속음이 더해져 복잡해져간다. 지속음은 전개와 모방을 관장하는 모티브의 손가락을 확실히 하기 위해 손목을 받쳐주는 것으로 생각하면 좋다.

[52] ~ 짝수 박에 나타나는 아르페지오 화음은 가볍게 연주할 것(화음에 악센트를 붙여서는 안 되는 것을 의미한다).

[80] ~ 연타음이 주체가 되는데 바르토크 자신의 운지법에서 보듯이 숨은 박절을 강조하는 의미가 된다. 게다가 그 연타음이 반음정 요동하며 미묘하게 진행하여 악센트의 위치도 교정되어간다.

가사 번역

이토 노부히로(伊東信宏)

아래에 실은 것은, 《14개의 바가텔》제4곡과 제5곡의 악보에 있는 오리지널 민요의 가사를 번역한 것이다.

특히 제5곡에 쓰인 슬로바키아어의 가사에 관해서는 나카무라 마코토 씨(오사카대학 대학원 박사과정)의 가르침을 받았다.

[14개의 바가텔]

제4곡

내가 소몰이이던 때
소 옆에서 잠들어버렸네.
한밤중에 눈을 떴더니
소는 한 마리도 남아 있지 않았네.

제5곡

우리들의 눈 앞에, 우리들의 눈 앞에, 우리들의 문 앞에, 우리들의 문 앞에
멋진 미남이, 멋진 미남이 흰 장미꽃을 뿌린다.

■ 春秋社版/세계음악전집 목록

* 표시는 미출간 도서

No.	도서명	작품명
1	바로크 피아노곡집	룉리 / 쿠프랭 / 라모 / 다캥
2	스카를라티 1	소나타집 제1권(전50곡)
3	스카를라티 2	소나타집 제2권(전50곡)
4	스카를라티 3	소나타집 제3권(전50곡)
5	바흐 1	평균율 클라비어곡집 제1권
6	바흐 2	평균율 클라비어곡집 제2권
7	바흐 3	프랑스 조곡 / 영국 조곡
8	바흐 4	2성부 인벤션 / 3성부 신포니아
9	바흐 5	파르티타 / 프랑스 서곡 / 이탈리아 협주곡 / 반음계적 환상곡과 푸가 / 카프리치오
10	바흐 6	토카타집
11	헨델	조곡집 / 3개의 연습곡 / 샤콘느와 변주곡 / 환상곡 / 푸가
12	하이든	소나타집 / 주제와 변주 / 안단테와 변주 / 환상곡 / 카프리치오
13	모차르트 1	소나타집 제1권(전10곡)
14	모차르트 2	소나타집 제2권(전9곡)
15	모차르트 3	변주곡집 / 소곡집
16	베토벤 1	소나타집 제1권(전11곡)
17	베토벤 2	소나타집 제2권(전12곡)
18	베토벤 3	소나타집 제3권(전9곡)
19	베토벤 4	변주곡집(전10곡)
20	베토벤 5	바가텔집 / 전주곡 / 론도 / 환상곡 / 폴로네즈 / 안단테 / 엘리제를 위하여 / 에코세즈
21	베버	소나타집 / '오라, 아름다운 도리나 벨라'에 의한 변주곡 / 모멘트 카프리치오소 / 화려한 론도 / 무도에의 권유 / 화려한 폴로네즈
22	슈베르트 1	소나타집 제1권(전6곡)
23	슈베르트 2	소나타집 제2권(전5곡)
24	슈베르트 3	환상곡 / 즉흥곡 / 악흥의 한때
25	멘델스존 1	소나타 / 엄격 변주곡 / 안단테와 변주곡 / 기상곡 / 론도 카프리치오소 / 3개의 환상곡 또는 기상곡 / 전주곡과 푸가 / 어린이를 위한 소곡집 / 3개의 연습곡 / 안단테 칸타빌레와 프레스토 아지타토
26	멘델스존 2	무언가집
27	쇼팽 1	소나타집 / 발라드집 / 즉흥곡집
28	쇼팽 2	환상곡 / 스케르초집 / 녹턴집
29	쇼팽 3	왈츠집 / 마주르카집
30	쇼팽 4	24개의 전주곡집 / 전주곡 / 12개의 연습곡집 / 3개의 연습곡
31	쇼팽 5	폴로네즈집(전11곡)
32	쇼팽 6	론도 / 마주르카풍 론도 / 화려한 변주곡 / 변주곡 / 볼레로 / 타란텔라 / 연주회용 알레그로 / 자장가 / 뱃노래 / 장송 행진곡 / 3개의 에코세즈
33	슈만 1	소나타 / 대소나타 / 프레스토 / 스케르초
34	슈만 2	나비 / 다윗 동맹 무곡집 / 사육제 / 어린이 정경 / 크라이슬레리아나 / 빈사육제의 어릿광대
35	슈만 3	아베크 변주곡 / 토카타 / 알레그로 / 변주곡 형식에 의한 교향적 연습곡 / 아라베스크 / 꽃노래 / 노벨레테
36	슈만 4	환상 소곡집 / 환상곡 / 유모레스크 / 야상곡집 / 3개의 로망스 / 숲의 정경
37	슈만 5	어린이를 위한 앨범 / 다채로운 작품 / 음악 수첩
38	브람스 1	소나타집 / 변주곡집
39	브람스 2	스케르초 / 발라드 / 왈츠 / 피아노곡 / 랩소디 / 환상곡 / 간주곡
40	리스트 1	소나타 / 폴로네즈Ⅱ / 발라드Ⅱ / 메피스토 왈츠Ⅰ / 즉흥곡 왈츠 / 잊어버린 왈츠 제1번 / 위로 / 2개의 전설
41	리스트 2	사랑의 꿈 / 시적이며 종교적인 선율 / 순례의 연보 제1년 / 순례의 연보 제2년 / 베네치아와 나폴리-순례의 연보 제2년 보유 / 순례의 연보 제3년
42	리스트 3	초절 기교 연습곡 / 파가니니에 의한 대 연습곡 / 3개의 연주회용 연습곡 / 2개의 연주회용 연습곡
43	리스트 4	헝가리 랩소디(15곡) / 스페인 랩소디
44	리스트 5	피아노 독주용 개편곡집
45	리스트 6	연주회용 패러프레이즈집
46	차이콥스키	소나타 / 사계 / 무언가 / 로망스 / 유모레스크 / 야상곡 외
47	드뷔시 1	2개의 아라베스크 / 베르가마스크 조곡 외
48	드뷔시 2	판화 / 환희의 섬 / 영상 제1, 2집 / 조곡 '어린이 차지' / 12개의 연습곡집
49	드뷔시 3	전주곡집 제1, 2권
50	포레 1	야상곡집 (전11곡)
51	포레 2	뱃노래집(13곡)
52	포레 3	주제와 변주 / 즉흥곡집(전6곡) / 전주곡집(전9곡) / 마주르카
53	포레 4	발라드 / 발스·카프리스 / 무언가 / 소품집
54	포레 5*	듀엣곡집 / 마스크와 베르가마스크 / 환상곡
55	스크랴빈 1	소나타집 제1권
56	스크랴빈 2	소나타집 제2권
57	스크랴빈 3	에튀드
58	스크랴빈 4	전주곡집
59	스크랴빈 5*	마주르카와 즉흥곡집
60	스크랴빈 6	시곡집 / 알레그로 아파시오나토 / 연주회용 알레그로 / 환상곡 / 환상곡(2대의 피아노) 유작
61	스크랴빈 7*	소품집
62	시마노프스키 1	9개의 전주곡 / 변주곡 / 4개의 연습곡 / 소나타 제1번
63	시마노프스키 2	폴란드 민요에 의한 변주곡 / 환상곡 / 전주곡과 푸가 / 소나타 제2번
64	시마노프스키 3	메토프 / 12개의 연습곡 / 가면극 / 소나타 제3번
65	시마노프스키 4	마주르카집 / 발스 로맨틱 / 4개의 폴란드 무곡 / 2개의 마주르카
66	생상스	카프리스 외
67	알베니스 1	이베리아 제1, 2권
68	알베니스 2	이베리아 제3, 4권 / 나바라
69	알베니스 3	아라곤 - 호다 아라고네자 / 세레나다 에스파뇨라 / 조곡 〈스페인 노래〉(전5곡) / 스페인 조곡(전8곡)
70	라벨 1	그로테스크한 세레나데 / 고풍스러운 미뉴에트 / 죽은 왕녀를 위한 파반느 / 물의 장난 / 소나티네 / 거울
71	라벨 2	밤의 가스파르 / 하이든의 이름에 의한 미뉴에트 / 우아하고 감상적인 왈츠 / 전주곡 / 쿠프랭의 무덤
72	바르토크 1	2개의 엘레지 / 2개의 루마니아 무곡 / 4개의 만가 / 알레그로 바르바로 / 소나티네 / 루마니아 민속 무곡 / 루마니아의 크리스마스 노래 / 모음곡
73	바르토크 2	15개의 헝가리 농민가 / 3개의 연습곡 / 헝가리 농민가에 의한 즉흥곡 / 피아노 소나타 / 창 밖에서 / 민요 선율에 의한 3개의 론도
74	바르토크 3	랩소디 / 치크 지방의 3개의 민요 / 14개의 바가텔 / 7개의 스케치 / 3개의 부르레스크 / 무용조곡 / 9개의 피아노 소품
75	러시아 5인조*	보로딘 / 큐이 / 발라키레프 / 무소륵스키 / 림스키코르사코프

※ 세계음악전집은 계속 이어집니다.